生協の白石さん。

白石昌則
東京農工大学の学生の皆さん

Shiraishisan working in the COOP

Shiraishi Masanori
Students of Tokyo University of Agriculture and Technology

講談社

生協の白石さん 目次

白石さんという魔法◎岡田有花……6

東京農工大学と農工大生協の風景……10

1の章

2の章

3の章

4の章

※「ひとことカード」の部分は、表記等できる限り原文のままとしております。
また人名に関して一部仮名に変更しております。

白石さんという魔法

アイティメディア 記者　岡田有花

Q…青春の1ページって　地球の歴史からすると　どれくらいなんですか?

A…皆さんは今まさに1ページずつめくっている最中なのですね。羨ましい限りです。地球の歴史というよりも、私の歴史からすると、目次でいえばかなり前の方です。いつでも呼び出せる様、しおりでも挟んでおきたいものです。（白石）

こんな粋な受け答えは、東京農工大学生協工学部店の「ひとことカード」で行われました。東京農工大学は「企業が共同研究しやすい大学」として全国第2位、国立大学法人ではトップに選ばれたこともあるという大学。工学部は、東京の西のほう、小金井市にあります。

ひとことカードとは、学生や教職員など「組合員」が、生協への要望を自由に書けるアンケート用紙で、「○○を入荷してほしい」「食堂にこんなメニューがほしい」といった要望が1日に何通か、専用の箱に投函されます。生協職員はそれを一枚一枚確認して回答を手書きし、掲示板に張り出します。

非営利団体の生協は、出資者である組合員の要望をできるだけ吸い上げ学生生活をサポートできるように、このひとことカードの仕組みを全国の大学で運営しています。白石さんは農工大生協の職員で、ひとことカードの回答担当です。

白石さんが担当者になってからというもの、冒頭のような、生協とは直接関係のない質問がたくさん寄せられるようになりました。どんな質問を投げかけても、白石さんは必ず粋な答えをくれるからです。学生たちは白石さんに、日常の切実な欲求も訴えてきます。たとえばこんな調子です。

Q…単位売って

A…単位は決して金銭などで売買されるものではありません。当店がご要望にお応えし、単位の売買を開始してしまったら、先生方から烈火の如き非難を浴び、生協は大学を追われる事になってしまうでしょう。書きながら、何だか首の辺りがぞくぞくしてきました。6月になったとはいえ、納涼と言うには時期尚早な話です。（白石）

単位なんてもちろん、売れるはずもありませんし、学生さんも本気で期待しているわけではないでしょう。だから、この質問は黙殺するか「無理」と一言返せば済むはずです。でも白石さんは、そうしません。学生生活をサポートする生協の職員という立場から、ユーモアを交えて、じっくりと答えを書いてくれます。ただ面白おかしいだけではなく、「そりゃあそうだよなぁ」と納得させてくれるものが、白石さんの回答にはあります。学生も、なにか疑問に思ったり、行き詰まったりすると「白石さんならどんな答えをくれるだろう」と、ひとことカードを書かずにはおれないんだろう――そんな気がします。

白石さんのひとことカードには、必ず採用される雑誌の読者投稿欄のような、投稿を全部読んでもらえるラジオ番組のような雰囲気があります。しかもテーマはなんでもあり。質問にも答えてくれるし、

恋の悩みも相談できる。あるときは占い師のように、あるときはお笑い芸人のように、あるときは頼れる生協職員として、白石さんは、いつもそこにいてくれます。

　白石さんのお仕事は、旅行の相談や添乗、免許取得などの講座やパソコン修理の受け付け、日用品や書籍販売などさまざま。ひとことカードは業務の一部でしかありません。でも、だからといって、おろそかにはしません。丁寧な字で書き込まれた白石さんのひとことカードからは、学生という〝顧客〟のニーズに正面から応えようとする職業人のたたずまいと、家族のように学生を思いやるあったかい気持ちが伝わってきます。

　しかしそれについてたずねると、白石さん本人は、全身で恐縮して言います。「自分なんて、一生協職員でしかありません。ひとことカードは、その場で思いついたことを勢いで書いているだけで」と、本当に申し訳なさそうに話すのです。「何時間も残業して、ひとことカードの回答を書くわけにはいかない」――そう思って、回答が翌日になることもあるそうです。「他の生協職員の方々でも、面白い回答を書いている人はいっぱいいるんですよ。そんな中でたまたま自分が注目されただけです。本当は私などはまだまだなんですよ。常に『見習わないと』と思っています」

　しかしそんな白石さんと一緒に、質問者の学生たちも、あったかい空間をつくり上げています。白石さんに楽しい回答を書いてもらおうと、〝ネタ振り〟のような質問をたくさん投函する人もいました。おかげで生協に関係のない質問は増えたそうですが、それでも掲示できないような、マナーに反した質問は、ほとんどなかったそうです。

農工大生の癒し役だった白石さんには今、全国にたくさんのファンがいます。農工大の学生が、白石さんの名回答をインターネットで公開したことがきっかけで、雑誌や新聞に載り、テレビにまで紹介され、そのたびにファンが増えました。「こんな人がうちの生協にもいてくれたら」「人柄にあこがれる」「白石さんに癒されて、つらかった仕事も乗り切れた」——白石さんを応援する人は、そんなふうに言います。

白石さんは、ネット上では「謎の生協職員」であり続けました。多くの農工大生は、白石さんの素性を知っていたし、ネット上で白石さんが話題になっていることも知っていました。でも、誰も白石さんの正体——性別すら明かさなかったので、人々は、自分なりの白石さん像を自由に想像して、楽しむことができました。

東京の郊外にある、緑あふれる大学で、学生たちは「白石さん」というファンタジーを大切にし、本物の白石さんのプライバシーを守りました。そんな学生の気持ちに応えるように、白石さんは頭をひねって楽しい回答を考え、ひとことカードに書き入れました。自然な思いやりに守られた人と人とのつながりが、白石さんのひとことカードを彩ります。

「もし、自分が白石さんだったらどう答えるだろう」——そう考えながら、解答欄を隠してひとことカードを読みます。私はプロのモノカキなので、プライドにかけて一生懸命考えるのですが、考えても考えても、白石さんの回答には、かなわないんです。

誰かから答えにくい質問を投げかけられたときや、ちょっと行き詰まったとき。心にじんわりしみる白石さんの回答が、あなたにきっとヒントをくれます。

東京農工大学と農工大生協の風景

正門。ただし、ここが「正門」だと知らない学生も

工学部の面積は東京ドーム3.4個分にもなる

入試の合否発表も行われる東門近くの掲示板

違法駐輪の自転車は容赦なく撤去される(泣)

左に見える13号館は2004年にできたばかり

学生や教授、そして近所の人たちが行き交うメインストリート

学生でも把握できないほど、大学には研究室がいっぱい

多くの緑に囲まれたキャンパスは、東京を忘れさせる

東京農工大学と農工大生協の風景

白石さんの働く購買書籍部。お菓子から大型プリンターまでなんでも揃う

ティッシュ配りの激戦区
なぜかお菓子が配られることも

生協の入る工学部総合会館の前は
学生たちの憩いの場でもある

工学部唯一の食堂はお昼になると学生たちで溢れかえる

撮影◎金澤智康　文◎上條景介

①の章

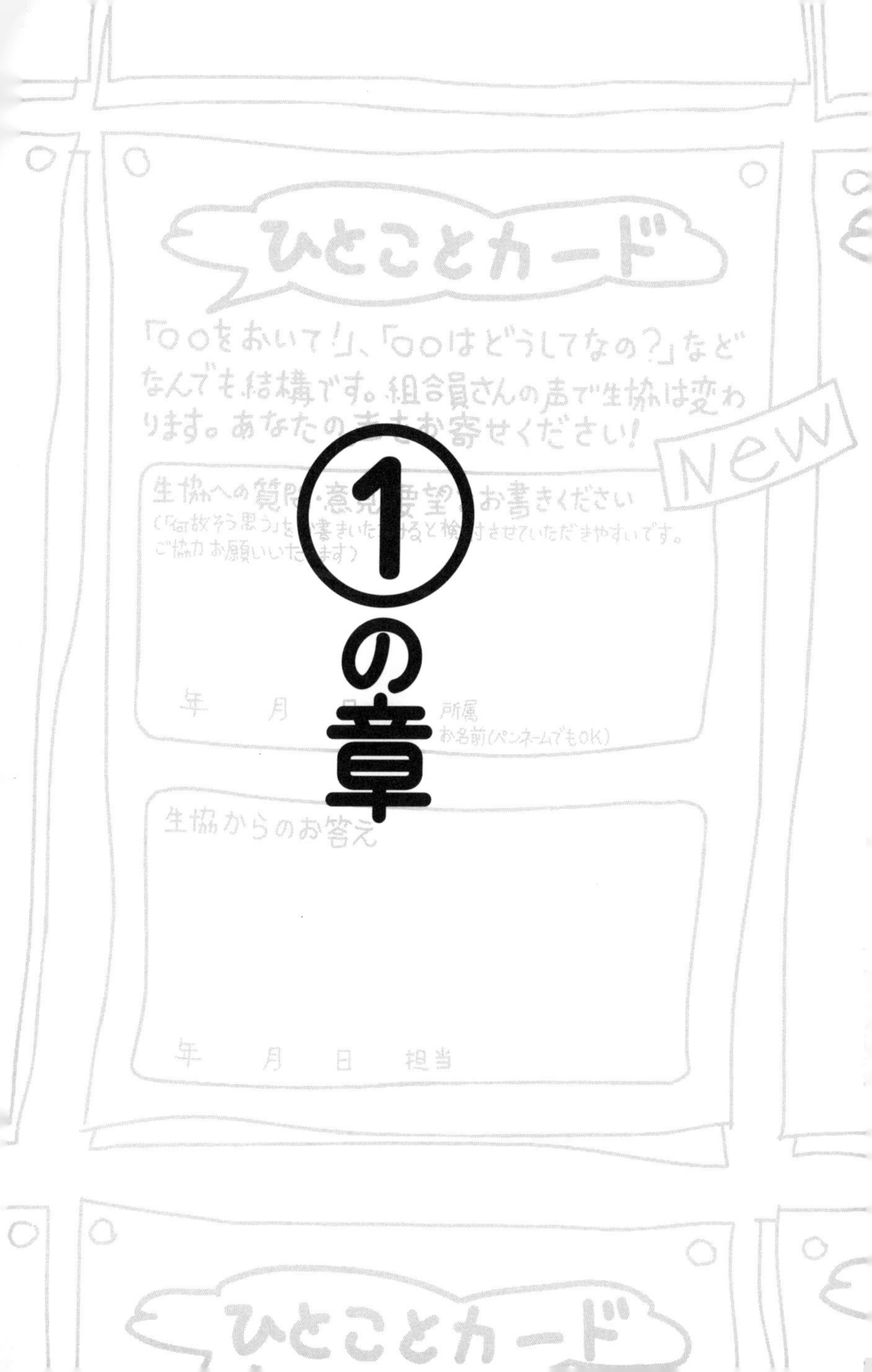

ひとことカード
「○○をおいて!」、「○○はどうしてなの?」など
なんでも結構です。組合員さんの声で生協は変わります。あなたの声をお寄せください!
New
生協への質問・意見・要望をお書きください
(「何故そう思う」を書いていただけると検討させていただきやすいです。ご協力お願いいたします)
年 月 日
所属
お名前(ペンネームでもOK)
生協からのお答え
年 月 日 担当
ひとことカード

生協への質問・意見、要望

僕にまだ春が
来ないのですが……
何とかして下さい、
白石さん

［所属］ --- ［お名前］ 鏡介

生協からのお答え

そうですか。まだ春、来ないですか。

微力な一生協職員の私として、何もしてあげる事はできませんが、成功者の多くは、自らが成功した時のイメージを事前に脳の中で膨まして事に臨むと聞いた覚えがあります。

鏡介さんにとっての〝春〟が何かは存じませんが、活力溢れる日々を送る内、自然と訪れるかもしれませんよ。頑張って下さい。

［担当］ 白石

生協への質問・意見、要望

私もっと大きくなりたいんです。バストアップ用品を置いて下さい♡

［所属］ーーー　［お名前］Aカップ

生協からのお答え

ご要望頂きありがとうございます。

お調べしたのですが、生協で取扱している商品に該当するモノがございませんでした。

尚、最も近い商品で、胸囲の増加を図るという点で「プロテイン」ならばお取り寄せ可能なのですが、バストアップというより、ビルドアップになってしまいますね。

お力になれず、申し訳ございません。

［担当］白石

生協への質問・意見、要望

HI-TEC-C
0・25㎜黒を
おいて下さい。
朝青龍が強スギます。

［所属］ーー ［お名前］Oh!

生協からのお答え

ご要望ありがとうございます。
こちらも定番化はお約束できないのですが、ひとまず入荷致します。
朝青龍は手がつけられないですね。魁皇は残念でした。又頑張ってほしいものです。
それより何より、戦闘竜が格闘家に転身していてビックリしました。

［担当］白石

生協への質問・意見、要望

サイヤ人はひん死になるとパワーアップするので大丈夫です

［所属］--- ［お名前］ベジータ

生協からのお答え

瀕死になるとパワーアップですか。それは何よりです。

私などは一晩ぐっすり床に就いたとしても、ホイミ程の回復力もございません。サイヤ人にあやかりたいものです。

ベジータさんは怖い人のようにお見受けしますが、このようなお声をお寄せ頂くなんて、すっかり丸くなりましたね。重ねて何よりです。

［担当］白石

生協への質問・意見、要望

小説（歴史物）を
もっとふやして下さい

［所属］ーー ［お名前］**信長**

生協からのお答え

ご要望ありがとうございます。
今後入荷予定の文庫は下記の通りです。
・司馬遼太郎〝坂の上の雲〟〝司馬遼太郎が考えたこと〟
・塩野七生〝ローマ人の物語〟
・浅田次郎〝壬生義士伝〟
上記以外で希望の書がございましたら、
当店カウンターまでお声をお掛け下さい。

［担当］**白石**

生協への質問・意見、要望

車欲しいです
売って下さい

［所属］P ［お名前］矢澤博之

生協からのお答え

ご要望ありがとうございます。

自動車の売買について、生協は取扱しておりません。

ご参考までに、当店にて「クルマ選びの決定版　最新マイカー選び」という本を販売しておりますので、ご検討の一助となれば幸いです。

［担当］白石

生協への質問・意見、要望

リュウとケンは
どっちが
強いんですか?
同じだろ!

［所属］物シスか化シス ［お名前］うんこマン

生協からのお答え

リュウとケンとは、この場合誰の事を指すのでしょう?
(漫画のキャラクターか何かですか…?)
推測の域は出ませんが、竜雷太と松平健の場合、全盛期ならおそらく竜雷太の方が腕力は上だと思われます。

［担当］白石

生協への質問・意見、要望

あのー波動拳の威力はどの程度か教えて下さい！

[所属] ーーー [お名前] ガザ君

生協からのお答え

波動拳という単語に見慣れていないので、インターネットで検索したところ、「波動による高エネルギー電子の共鳴拡散過程」等、難しそうなレポートがヒットしました。さすが理系の学生さんですね。

しかし結局「波動拳」については判らずじまいでした。

又今度お教え下さい。

[担当] 白石

生協への質問・意見、要望

はがねの剣
100本

［所属］――　［お名前］勇者志望

生協からのお答え

ご購入ご希望という意味で宜しいでしょうか。

申し訳ございません。100本はおろか、1本たりともお取り寄せできません。

銃刀法違反等に触れるおそれもありますので、ご購入は断念された方がよろしいかと思われます。

［担当］白石

生協への質問・意見、要望

一人暮しでさびしいので
話し相手になってくれたり、
ごはんを作ってくれたりする
便利な美少女ロボットが
欲しいです。

［所属］P ［お名前］中村忠朗

生協からのお答え

生協で上記の様なロボットは購入できませんし、おそらく生協以外でも購入は難しいでしょう。
しかし、このような願望に依存しない大学生活を送っていただく事を強く強く望みます。
お名前欄お見受けして感じたのですが、もし本名でこのようなひとことカードを提出する度胸があれば、この先どんな困難でも乗り越えられる気がしますよ！

［担当］白石

生協への質問・意見、要望

0.3㎜のシャープペンの
しんですが
20本入りで
税込210円というの
があるはずです。
それを入荷して
くれたらうれしいです。

[所属] ‥ [お名前] ‥

24

生協からのお答え

引き続きご要望ありがとうございます。

まず現在入荷中のステッドラーのものは、12本入で定価￥210(税込)↑生協価格￥168の仕様となっています。

ステッドラーに確認した所、替芯は上記の仕様以外にはないとの事でした。

仕入れ可か否かは別として、三菱、トンボ鉛筆のラインナップを確認しましたが、ともに20本入定価￥300(税込315)↑生協￥240(税込252)の仕様でした。おそれ入りますが、20本入￥210のものは、どちらのメーカーだったでしょうか？

お教え下さいませ。

[担当] **白石**

生協への質問・意見、要望

単位がほしいです

［所属］－－ ［お名前］－－

生協からのお答え

そうですか、単位、ほしいですか。
私は、単車がほしいです。
お互い、頑張りましょう！

［担当］白石

生協への質問・意見、要望

白石さん、
一緒にツーリング
行きましょう。
まずは伊豆くらいから

［所属］ーー ［お名前］ーー

生協からのお答え

魅惑的なお誘い、ありがとうございます。単車は約7年前に盗難に見舞われて以来所有しておらず、現在私が最も所望するアイテムです。

但し、購入するには潤沢な資金、及び私の家族の深く慈愛に満ちた理解が必要なのです。

上記のハードルを越え、所有できた暁には、是非ともご一緒させて下さい。

［担当］白石

生協への質問・意見、要望

まず、愛が欲しいです。
しかもEndlessなもの。
もう1つは
農工大サーフボードを
作ってください。

［所属］ ‐‐‐ ［お名前］ Yusuke・com

生協からのお答え

ご要望ありがとうございます。

〝農工大サーフボード〟。あったら面白いですね。現在大学生協でサーフボードの取扱いはありませんが、例えば100名以上でご購入希望がある、という注文が入れば、歴史が動くかもしれません。勿論、ご購入が大前提となるのでご集約やご集金大変かとは思われますが、見込があるようでしたら、又お声をお掛け下さい。

尚、〝エンドレスな愛〟は私も欲しいので、入手してもYusukeさんには教えられません。予めご了承下さい。

［担当］ 白石

生協への質問・意見、要望

拝啓白石殿
最近悩んでいるのですが、
同じ学科のある女の子が
気になって
しかたありません。
声をかけたいのですが、
自然な話題は
どんなものでしょうか。

［所属］--- ［お名前］**匿名希望**

生協からのお答え

人生経験の浅い私に妙案が浮かぶはずもなく、帰って父に聞いて見た所、悩んだ挙句、巨人戦の話題はどうか、と提案していました。昭和の男です。

しかし考えてみると、この掲示板に貼り出してしまうと、相手の娘にもう作戦、バレバレですよ。

恋は駆け引きの内が醍醐味です。
オリジナルで楽しんでみて下さい。

［担当］**白石**

生協への質問・意見、要望

チョコの種類をもう少し
増やして下さい。
特にカカオ量が多い
ビターチョコが
たべたいです。

［所属］S ［お名前］生茶パンダ

生協からのお答え

ご要望ありがとうございます。
2月4日に一度入荷した商品ですが、森永のビターチョコレート（税込¥94）を、3月に再度入荷致します。カカオ量が通常の2倍の商品です。
種類の増加につきましては、今後動向を見て検討致します。

［担当］白石

生協への質問・意見、要望

白石さんのおかげで
僕にもやっと
春が来ました。
しかし、次の冬が
こわくてなりません。
対処法は
ありますか?

［所属］ --- ［お名前］ **鏡介**

生協からのお答え

春到来、おめでとうございます。

私は特に何もしていないので、鏡介さんの願いが実を結んだという事に尽きますね。

「次の冬の対処法」との事ですが、あえて言うなら〝何もしない・考えない〟方が望ましいのではないでしょうか。心配してしまうと、折角訪れた春を存分に楽しめなくなってしまいますよ。暖かい時期にヒーターがあっても場所を取るだけです。故に備えは不要と思われます。

是非「春」を満喫して下さい!

［担当］ **白石**

生協への質問・意見、要望

A4のC罫を
置いてほしい
5㎜なので、
実験データの
グラフを書きやすい!!

[所属] --- [お名前] **西山**

31

生協からのお答え

ご要望ありがとうございます。

まず、調べまとめるのに時間がかかってしまい回答が遅れ大変申し訳ございません。

現在生協ではノートのラインナップを、再生紙のCOOP文具とコクヨにて揃えており、その他表紙にデザインが施されたものを揃えております。

しかし、本日現在、COOP、コクヨともにA4のC罫が無いようです。もし西山さんが、他社のものでA4のC罫を見たとの情報がありましたらお教え下さい。

[担当] **白石**

生協への質問・意見、要望

ローカで
すれちがうだけで、
プーさんがアクティブに
からんできます。
どうしたらいいですか？

［所属］ －－－ ［お名前］ 迷える子羊

生協からのお答え

プーさんとは、〝くまのプーさん〟ですか？
そうですすか。アクティブに絡んできま
すか。子羊さんも命懸けですね。
手助けしたいのもやまやまですが、食
物連鎖に手を加えてしまうと、自然のバ
ランスが損われてしまい、生協の理念に
も反してしまうので、ここは温かく見守
る事とします。

［担当］ 白石

生協への質問・意見、要望

マサくんが最近、
「そこそこのリアリティ」を
追求してます。
生協にはそういうものを
おかないいんですか？

［所属］－－－［お名前］モッチー

生協からのお答え

ご質問、ありがとうございます。
解釈が間違っていたら申し訳ないのですが、「〜風味」という食べ物も、ある意味そこそこのリアリティ。
例えば当店販売中のうまい棒は、全13種類。求道者のマサさんにもおすすめしてみて下さい。

［担当］白石

生協への質問・意見、要望

水川と大和が
仲が悪いんです
どうにかして下さい

［所属］**部長**　［お名前］**－－**

生協からのお答え

皆誰とでも仲が良い世界が理想郷ですが、現実はなかなかうまく行きませんよね。生協としてはただただ、関係が良好になる事を祈るばかりです。
しかし、こういう時こそ、管理職である部長さんの腕の見せどころではないでしょうか。辣腕発揮、期待致します！

［担当］**白石**

生協への質問・意見、要望

牛を置いて！

［所属］――― ［お名前］―――

生協からのお答え

ご要望ありがとうございます。
本日丁度職場会議が開かれたのですが、
結果、牛は置けない、と決議されました。
即決でした。申し訳ございません。

［担当］白石

生協への質問・意見、要望

うしをおいて！

[所属] ―
[お名前] ―

生協からのお答え

前掲の通り、職場会議にて牛は置けない、と決議されました。
満場一致でした。申し訳ございません。

[担当] **白石**

生協への質問・意見、要望

エロ本おいて下さい

［所属］ ––– ［お名前］ N

生協からのお答え

ご要望ありがとうございます。
大学生協は学生さんや教職員の方をはじめとした組合員の勉学研究支援及び生活支援に取り組んでおりますが、煩悩の分野は支援できません。あしからずご了承下さい。

［担当］ 白石

生協への質問・意見、要望

スポーツ系雑誌を、おいて欲しい。

［所属］－－ ［お名前］M

生協からのお答え

ご要望ありがとうございます。まず、ご参考までに、現在当店で入荷中のラインナップは左記の通りです。

・Number ・スポルティーバ ・サッカーマガジン ・サッカーダイジェスト ・ワールドサッカーダイジェスト ・ソフトボールマガジン ・F1速報 ・F1グランプリ特集

・格闘技通信

右記以外の雑誌でご希望のモノがございましたら、又カードを投稿して頂くか、もしくはカウンターまでお声をお掛け下さい。

［担当］白石

生協への質問・意見、要望

コクヨろんグらんですく　欲しい

[所属] ---　[お名前] ちびクロ

生協からのお答え

ご要望ありがとうございます。

〝コクヨロングランデスク〟ですが、3年程前に生産が終了しているとの事でした。ホームセンター等に運良く在庫はあるかもしれませんが、生協には残念ながらございませんでした。

当方でご案内可能なシステムデスクでは、￥17,800の商品からある『ひとり暮らし快適BOOK』からお選び頂けます。

[担当] 白石

生協への質問・意見、要望

生協はいつ紀伊國屋くらいの大きな建物にな・る・の?

［所属］ーーー ［お名前］パク

生協からのお答え

紀伊國屋程の大きさになったら、我々も嬉しいです。

ところで、思いの外プロ野球チップスの売れ行きが芳しくありません。見本がヤクルトの土橋選手で地味だからなのでしょうか。しかしこの選手は、敵に回すと憎らしい程の名プレイヤーですし、店頭に並んでいるチップスのカード全てが土橋とは限りません。

以上、追記としてセールスポイントを挙げさせて頂きました。

この課題をクリアする事が『紀伊國屋計画』の第一歩かもしれません。

［担当］白石

40

白石さんからの言葉

「驚いた、というひとことでは言い表せられない衝撃でした。」

2004年12月16日、10年強勤めた早稲田大学の生協から、東京農工大学消費生活協同組合工学部店へ異動となりました。3～5年周期で配属が変わる職員が多い中で、入協以来随分と長くとどまっていたものだと感じております。

それまでは主に国内・海外旅行や運転免許、スクール講座の受け付けといったサービス部門の業務の担当だったのですが、異動に当たり加えて文具や菓子等の日用品、パソコンやその修理の受け付け、さらには書籍の業務にも携わることになるとあって、一から仕事を覚える新人のような心構えを余儀なくされました。

その中の一つに「ひとことカード」という、学生さんや教職員の方々で構成される「組合員」からのご意見・ご要望を記入いただいた用紙にお答えし、返答を掲示板に貼り出す仕事があったのです。このシステムは大学生協の中では広く一般的に採用されているもので、在籍していた早稲田大学の生協でも盛んに取り組んでいます。とはいえ、私自身が返答をしたことはかつて一度もありませんでした。先述のとおり、主にサービス部門の担当でしたので、店の品ぞろえのご意見ご要望を承る機会に乏しかったのです。

「〜を取り扱ってください」というご要望のカードが投稿されていた場合、その商品が生協にて仕入れ可能か否か、ロット（発注単位）はどれくらいか、販売数の見込みがどれくらいあるか、余った場合の商品管理面でのリスク等、さまざまな側面からお調べし返答します。大学生協は組合員の方々から出資金をお預かりし、店舗運営をしております。その組合員のご要望とあらば、できる限り実現させたいスタンスでお調べし、お応えできない場合でもその理由や背景を明確に伝える返答を心がけねばなりません。また、ご要望を実現させていただいた場合でもその品物の売れ行き動向が芳しくない場合、たとえば食品ならば付き物の「賞味期限」が迫ると値下げを断行せねばならなくなり、果ては廃棄という事態に陥ることもあります。大切な出資金をお預かりしている生協としては、このような無駄を生む状況は避けるべきであり、反面、組合員の要望には可能な限りお応えしたい姿勢でもあるので、その狭間で思い悩むことも少なくありません。

品ぞろえに関することの他にも、取扱業務の拡大、食堂における味やメニューの改善、さらには営業時間延長等へのご要望や、接客態度や釣り銭まちがいへのお叱りの声などさまざまで、時には励まされ、時には反省しつつ、組合員である学生さんや教職員の方々に支持される店舗を目指すべく、農工大生協のみならず全ての大学生協が奮闘しております。

農工大にてひとことカードのシステムを取り入れ認知させた功績者は、私の前任者でした。組合員参加型の店づくりを目指す意図の下、導入されていたのです。その前任者が築いた土壌、初めてこの業務に携わる自分にとっては決して力の抜けない仕事だと感じていました。しかし中には質問・要望の中には力の抜けた、いわば当店へのご意見とは無関係な投稿もあり、それについては前任者もしばし頭を悩ませ返答しているとのことでした。私は２００５年の1月下旬あたりから回答させていただいているのですが、正直なところこの「力の抜けた」投稿への返答は、先述のような多角面での調査・考察を要せずその場で思いついたことを書けるので、失礼な話かもしれませんが労力の面でラクであり、時にはありがたいものでした。

そんな折、2月の初旬でしょうか、通常1日1枚あるかないかのひとことカードＢＯＸの中に、まとめて7~8枚入っていた日がありました。その半分がテレビゲームを連想させるもので、中でも「ストリートファイターⅡ」に関するものがあり驚きました。私自身はあまりゲームに詳しくはないのですが、このゲームは大学時代にいた学寮で流行っており、自分は操作が簡単な相撲取りのキャラクターでたまに対戦に混じらせてもらった記憶があったのです。

しかしそれは10年以上も前の話、その時を経て現在の大学生が同じゲームを話題にしていることに、世代を超えたシンパシーを感じ少し嬉しい気持ちになりましたが、その気持ちをそのまま返答に表すと生協の掲示板がゲームの掲示板となってしまうので控えさせていただきました。今では会う人によく聞かれることになった「リュウとケン」の質問ですが、そこでなんとなく竜雷太・松平健のお二方を思い出し、せっかくなので竜雷太さんを優勢にしたかっただけなのです。

またある日のこと、店の出入り口近辺にあるひとことカードの掲示板の前で「ネットに載っている竜雷太のがないなあ」と数名が会話しているのを耳にしたのです。その頃はもう3月に入っていて、それらの回答は確かに掲示板からは外していました。

「ネットに載っている竜雷太のって、まさか……」

帰宅後、おそるおそるインターネットにて検索してみたのですが、それとおぼしきものはなに一つヒットしませんでした。

「東京農工大学　生協　ひとことカード　竜雷太」

これらのキーワードを数通り組み合わせていたのですが、よくよく考えると当店のひとことカード、大学名が掲載されていません。代わりに、必ず記入する回答者名、つまり自分の姓「白石」を検索に用いてみました。

自意識過剰も甚だしいこの有り様、なんて阿呆《あほう》なのだと軽い自己嫌悪に陥ったのも束の間、ぞろぞろヒットされたサイトやブログの数々。それらをクリックし文字色が反転されるや、浮かび上がるのは既視感というか、どこか懐かしさすら覚える画像の数々。そりゃそうです。自分が回答したひとことカードじゃないですか。やあ、こんなところでこんにちは。しかも、ばっちり「白石」という名前が各回答画像に署名されているあたり、他人事なら「そう。この的外れな回答の文責は白石。逃げも隠れもしない」といった潔ささえ感じられる、天晴れなまでの匿名性のなさ。もちろん私本人はそんなつもりなど毛頭ございません。いっそ、行方をくらませたい。

驚いた、というひとことでは言い表せられない衝撃でした。

②の章

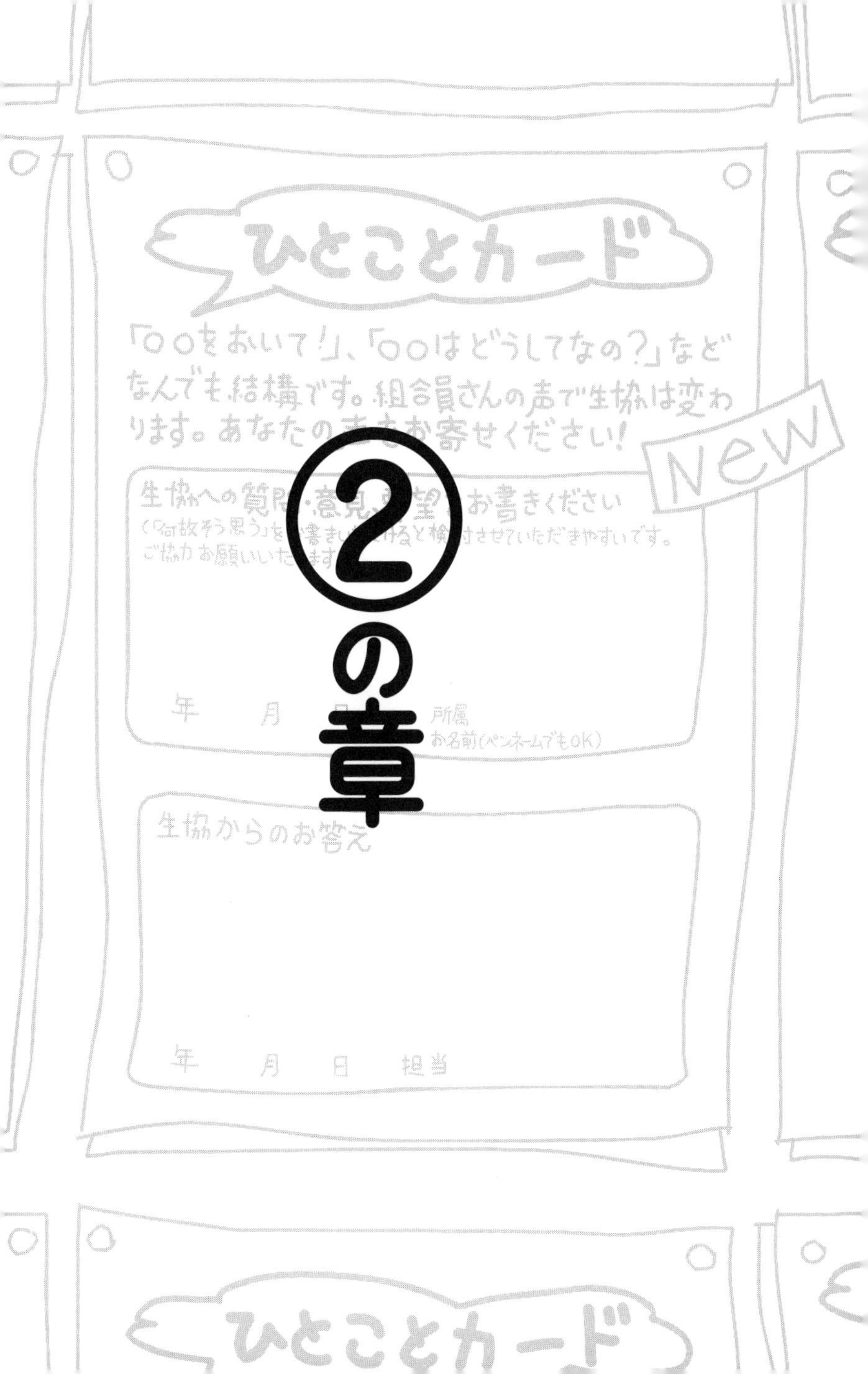
ひとことカード
「○○をおいて!」、「○○はどうしてなの?」など
なんでも結構です。組合員さんの声で生協は変わります。
New
生協への
お書きください
年 月
所属
お名前(ペンネームでもOK)
生協からのお答え
年 月 日 担当
ひとことカード

生協への質問・意見、要望

お菓子で
わたぱちくんが
食べたいです。
パチパチが
たまりません。

[所属] --- [お名前] 工部のひと

生協からのお答え

ご要望ありがとうございます。

上記の投稿を拝見した時に、当方も「是非仕入れたい」と考えたのですが、現在の仕入れ先にわたぱちくんも含めた綿菓子類の取扱いが無いとの事でした。

ご希望に添えず申し訳ございません。

このようなご要望があったという旨、大学生協の仕入れ担当にもお伝え致します。

[担当] 白石

生協への質問・意見、要望

チョコボールの金(銀)のエンゼルがあたらないんですケド…

[所属] ---　[お名前] ギター名人

生協からのお答え

苦労して何個買っても全く当たらない人もいれば、運良く一発で「金」を引き当ててしまう人もいる、人生の縮図のような森永チョコボールです。

そのチョコボール、通常1ケ¥56のところ、現在2ケで¥94のセール中です。4月28日(木)までのセールとなっておりますので、お買い逃がしのないように！

ギター名人さんの好運をお祈り致します。

[担当] 白石

生協への質問・意見、要望

今年も中日は優勝しますか?

[所属] J [お名前] ーー

生協からのお答え

昨年、低反発ボールにいち早く対応し、見事優勝した中日ですが、ここ10年以上セ・リーグは連覇したチームがないようです。強さを維持するのは並大抵の事ではないですね。まだまだ混戦模様、中日にも他チームにも頑張って盛り上げてもらいたいものです。

昨日ためしにプロ野球チップス買ってみました。土橋でした。

[担当] 白石

生協への質問・意見、要望

通常の糊・紙用ボンド・セメダイン以外にも、もう一種類程度、接着剤を置いて欲しい。
理由：履歴書用の写真貼付には前者2つは不適(接着力の関係で)。そしてセメダインは金属チューブで使いにくい。

［所属］生命工［お名前］overdrive

生協からのお答え

ご要望ありがとうございます。
接着剤についてですが、まず現在品揃え中の商品で上記のような写真貼付に最適なのは「PowerPritt(¥210の銀色の方)」(コクヨ)かと思われます。スティック糊タイプですが、通常のモノよりも粘着力が強力、かつ速乾です。厚紙の接着用途に適しておりますので、是非お試し下さい。
今後の品揃えについては、アロンアルファのバリエーションについて、只今検討中です。

［担当］白石

生協への質問・意見、要望

おかげ様で最近
プーさんの驚異から
開放されました。
ありがとう
ございました。

［所属］ーー ［お名前］**迷える子羊**

生協からのお答え

先日、くまのプーさんに絡まれて困っていた迷える子羊さんですね。あの時は見守ると言いながら見殺しにしてしまい申し訳ございません。

これからも生協として何か助けてあげる、という事はできないとは思いますが、良ろしければまた近況をご報告下さい。

［担当］**白石**

生協への質問・意見、要望

○ビッグカツが品切れで胸が張りさけそうなくらい悲しいです。白石さん…涙が止まりません。『ビッグカツ』を頼みます

［所属］生命工 ［お名前］ビッグカツ三太夫

生協からのお答え

菓子の発注担当に確認したところ、実は、賞味期限が短いこの商品、入荷中止になるところでした。…まさにこの「ひとこと」が、ビッグカツを救いました。品名をロゴ状に書きあげて頂いた熱い想い、確かに伝わりました。

再入荷は4／27(水)頃の予定です。これだけ愛されれば、原材料のたらも浮かばれる事でしょう。

［担当］白石

生協への質問・意見、要望

スピッツのチケットが欲しいです。

［所属］ ーーー ［お名前］ B'z ファン

生協からのお答え

コンサートのチケットについて、生協はお取扱しておりません。ご了承下さい。スピッツは9月に、何と立川に来るそうです。ここから近くて大変便利ですね。立川なら、中央特快も停まるので安心です。

［担当］ 白石

生協への質問・意見、要望

ティッシュをおいてほしい

［所属］－－－ ［お名前］ザ・サン

生協からのお答え

ご要望ありがとうございます。

まずティッシュですが、店入口から向かっていちばん左側の棚の奥手にございます。バラ売りで￥15からです。量を要する方には、箱ティッシュもあるので安心です。

また、運が良ければ1F入口前で自動車教習所がキャンペーンを行なっている際、無料で貰えたりもします。

［担当］白石

生協への質問・意見、要望

りんご食べたい

［所属］ーー ［お名前］白石

生協からのお答え

ご要望ありがとうございます。ただ、生協2Fでは青果の取り扱いがなく、お力添えができません。
1Fの食堂にご要望を出して頂いたら、ひょっとしたら新メニューとして登場するかもしれませんよ？

［担当］白石

生協への質問・意見、要望

ゴールデンウィーク中にキメたいんですけどどーすればいいですか？

［所属］ - - - ［お名前］ カバリエリ

生協からのお答え

決して意図的ではないのですが、この質問を見たのがゴールデンウィーク真只中の5／2でした。どうでしょう、今頃行楽地のいずこで、ばっちりキマっているのでしょうか。G・W・中も暦通りの勤務の地、東小金井より思いを馳せる次第です。

［担当］ 白石

生協への質問・意見、要望

愛は売って
いないのですか…？

[所属] ---　[お名前] **地中海性気候**

生協からのお答え

どうやら、愛は非売品のようです。
もし、どこかで販売していたとしたら、それは何かの罠かと思われます。
くれぐれもご注意下さい。

[担当] **白石**

生協への質問・意見、要望

白石さん

(;´Д`)ﾊｧﾊｧ

［所属］**白石さんファンクラブ**　［お名前］**農工太郎**

生協からのお答え

5月になりました。日によっては暑くなり、思わず息もあがっちゃいますよね。1Fパンショップでは、各種アイスを、キンキンに冷やして販売中です。

故郷のご両親を思い浮かべつつ、ガリガリ君なんぞをひとかじりした日には、火照った体も瞬時にクールダウンする事うけあいです。

［担当］**白石**

生協への質問・意見、要望

どうやったら
鳥研に女子を入れる
ことができますか？
秘策を教えて下さい。
さみしくて
死にそうです

［所属］ --- ［お名前］ ---

生協からのお答え

鳥研？　野鳥研究会の類でしょうか。

鳥といえば、クジャクは羽を広げる事によって自分の魅力を異性にアピールするそうです。人間界ではジュディ・オングも成功しているのでどうだろう、と思ったのですが、よく考えたらジュディ、女性でした。

という事で秘策どころか模索も良い所ですが、どうぞ寂しくても死なないで下さい。折角仕入れたフリスクが売れ残ります。

［担当］ **白石**

生協への質問・意見、要望

カードを土橋から
城石に代えては
いかがですか？
多分売れます。

[所属] --- [お名前] ヤクルトファン

生協からのお答え

的確なアドバイスありがとうございます。しかし土橋も意地を見せたのか、ここ最近、プロ野球チップスの売れ行きがすこぶる好調です。（と言うよりも、皆様のお陰ですね。ありがとうございます！）

見本のカードの変更については、折を見て検討致します。

先日も購入したら横浜の種田が出てきましたが、何となく自分の物にしたかったので、持って帰りました。お許し下さい。

[担当] 白石

生協への質問・意見、要望

音楽雑誌(↓オリコンstyleなど)、バンド雑誌(↓player、GIGSなど)を入荷してほしいです。

[所属] --- [お名前] Randy

生協からのお答え

ご要望ありがとうございます。
まず「オリコンstyle」なのですが、大学生協が仕入れをしている「日販」では取り扱いがなく、入荷する事ができません。お力になれず申し訳ございません。
ただ、ご要望頂いている〝音楽雑誌〟のジャンルで入荷中のモノが現在無いようなので、上記の月刊GIGS等含め、何種か入荷を検討させて頂きます。又、当掲示板にてご案内致します。

[担当] 白石

60

生協への質問・意見、要望

かわりン棒を再入荷して下さい

[所属] S [お名前] K

生協からのお答え

またもやお菓子のご要望、ありがとうございます。

「かわりん棒」も実は商品切り替えの対象となっていて、次回の入荷は見合わせる事になっていました。

しかし、このようなリクエストが、商品の寿命をのばす事になるのですね。という事で、再入荷は5／13(金)の予定です。

[担当] 白石

生協への質問・意見、要望

梅雨に向けて、あじさいが欲しいです。

［所属］－－ ［お名前］でんでん

生協からのお答え

ご要望ありがとうございます。

残念ながら当生協では生花類の取扱はございません。ご希望に添えず申し訳ございません。

あじさいは、漢字で「紫陽花」と書きます。梅雨の時期の花にしては、何だか熱い感じですね。DEEP PURPLEのBURNすら彷彿とさせます。

いつも心に紫陽花を。そんな感じでできたるべき梅雨に備えたい所存です。

［担当］白石

生協への質問・意見、要望

ポテトチップスの九州しょうゆ味が食べたいです。お願いですから、おいてください。

［所属］ ――― ［お名前］ AMOと九州男児

生協からのお答え

ご要望ありがとうございます。カルビーのポテトチップス九州しょうゆ味、知っていますよ。美味しいですよね。しかし、残念な事に地域限定版商品なのです。ただ、時期によって「お国じまん祭りシリーズ」と称して期間限定で東京地区に登場する事もあるようです。その時には仕入れます！

［担当］ 白石

生協への質問・意見、要望

梅ねり
始めて下さい。

［所属］ --- ［お名前］ St2

生協からのお答え

ご要望ありがとうございます。
なとりの〝ねり梅〟（税込￥105）、
5／20（金）入荷予定です。
ほのかに甘いらしいです。

［担当］ 白石

生協への質問・意見、要望

接客いい。

[所属] --- [お名前] とくめい希望

65

生協からのお答え

お誉めのお言葉をいただき、ありがとうございます。

この店舗に勤務する全員の励みになります。

これからもより良いお店を目指すべく努めてまいります。今後ともどうぞ宜しくお願い致します。

[担当] 白石

生協への質問・意見、要望

そばをいっぱいうるにはどうすればいいですか?

［所属］G ［お名前］てつお

生協からのお答え

そば職人の道は大変険しいと聞きます。ひとことカードお寄せ頂いてありがたいのですが、そんな場合じゃありません。一刻も早く修業して下さい。そばを売るどころか、油を売っちゃってますよ。

一人前になった暁には、とろろそばでもごちそうして下さい。冷たいのが良いです。

［担当］白石

生協への質問・意見、要望

マンガを注文すると
10%OFF
でしたっけ…?

［所属］ー ［お名前］ヨハン

生協からのお答え

はい。その通り10%OFFです!
但し、組合員証の提示が必要です。
これを使わない手はありません。
どしどしご注文下さい!

［担当］白石

生協への質問・意見、要望

模造紙が想像以上に高くて買えません。

［所属］－－［お名前］－－

生協からのお答え

ご意見ありがとうございます。現在仕入れているのは、白色で２枚組￥１８４、他色も同２枚組￥２１０の仕様です。

製品として１枚のものもあるのですが、50本まとめて当店に入荷してしまうので、需要を鑑みると在庫過剰となり仕入れる事ができません。その旨、現状ご理解下さい。

［担当］**白石**

生協への質問・意見、要望

ロックの三大要素を
おしえて下さい
→200字以内

[所属] ––– [お名前] –––

生協からのお答え

焼酎・梅酒・ウイスキー。
200字も使わず失礼致しました。

[担当] 白石

生協への質問・意見、要望

稲本のキラ
当たりました♪

［所属］ＰＣ　［お名前］てつ子

生協からのお答え

おめでとうございます！　羨ましい限りです。私もＪリーグ発足間もない頃チップスをしばしば買ったものですが、何回買ってもエスパルスの堀池しか出ず、結構好きなはずの堀池の顔が見栄晴みたいに思えてきたものです。その後に出たエドゥーのカードは、後光が差していました。

これこそがＪリーグチップス及び日本代表チップスの魅力の真骨頂ですね。大事に保管して下さい。

［担当］白石

生協への質問・意見、要望

仙豆がほしい

［所属］――［お名前］カリン様

生協からのお答え

大豆や小豆すら品揃えしていない生協に仙豆など望むべくもありません。

空想上の豆とはきっぱりと決別し、日頃からの滋養強壮に励んで下さい。

［担当］白石

生協への質問・意見、要望

宇宙に行きたいです。

［所属］ーー ［お名前］イケメン

生協からのお答え

大学生らしいスケールの大きな志、素晴らしいです。

私など今度の休みに予定している四国旅行が楽しみで仕方ありません。いつからこんなに小さくまとまってしまったのか嘆くばかりです。

実は当生協カウンターにて旅行の申し込みも受付しています。宇宙への夢がはかなくも破れ、傷心状態となりましたら、是非とも地球のツアーを当店にてお申込下さい。

［担当］白石

白石さんからの言葉

「モノを売るのは、本当に難しいと感じております。」

前章で触れた画像流出の件を知った当初は、インターネットの流布の力に畏怖を感じ戸惑っていました。なにしろ画像に記載されている名前が匿名でなく実名、それにより容易に個人が特定され、顔写真等のさらなる流出も時間の問題かと、いくばくかの覚悟をしておりました。

結局のところ、それは杞憂《きゆう》でした。それはありがたくも農工大の気風・校風に起因しているのではないかと考えております。

早稲田大から農工大へ異動の話を聞き、真っ先に思い浮かんだのは恥ずかしながら「大根おどり」でした。ここで言うまでもなくそれは東京農業大学のことですが、それまで農工大のことを正しく認識しておらず、勉強不足で反省しきりです。なんでも経済産業省調べによる産学連携体制の評価において、東京農工大学は第2位、国立大学法人の中ではトップに選ばれているとのこと。重ねて恐れ入る次第です。

その農工大小金井キャンパスに初めて足を運んだ時、東京の市部、それも中央線の沿線にある大学にしては緑も多く、なんとも牧歌的な印象を受けました。そして学生さんも礼儀正しい方が多く、かと言って生真面目過ぎでもなく、バランス良く垢抜けているように感じました。理工系キャンパスの研究室に所属

する方々は実のところ「体育会系」の気質をも併せ持つようで、働き始めて間もなく親近感を抱いたのです。その農工大から自分の情報が変に流出することはなく、これは大変ありがたい限りでした。

そもそも冷静に考えればたかだか小さい店での問答画像の流出、それほど大騒ぎするような大層なものでもなく、「人の噂も〜」という言葉があるように、熱するのも速ければ、冷めるのも速いのがネット社会の常だと思い、気に留めたのはほんの1週間ほどだったでしょうか。それよりも当時は、4月の新学期を間もなく迎える時期、自分にとって未知の領域の仕事が山ほど待ち受けており、それをいかに上手に遂行し、組合員に支持される店を運営していくかが命題でありました。くさくさしている場合ではなかったのです。

そしてその4月、初めて農工大生協で新学期を迎える自分は慣れない仕事に慌ただしい日々を送りました。たとえば新入生が一堂に会した生協主催のオリエンテーションにてパソコンの説明をするという仕事は、それまでほぼ旅行の受け付けが主だった自分の業務からは想像もつかないもので、大変新鮮でしたし、また疲弊もしたものです。

その中でひとことカードの回答は、時に宣伝活動の媒体として活用させていただいておりました。

当店の菓子の陳列棚では、「Jリーグチップス」と「プロ野球チップス」が、常時ある一定の場所で賑わいます。「見本」として、付録のカードもディスプレイします。ある時、その見本の妙な相違点に気づきました。片やJリーグの見本カードは、今や日本代表の顔とも言うべき、世界に羽ばたいた中村俊輔選手。一方プロ野球の見本は、永遠の名脇役、日本に留まったヤクルトの土橋選手。てっきりメーカーのカルビーが見本をつけて納品したと思い、「このアンバランスさは面白いよね」とパートさんに話したところ、どうやらパートさん自ら両方のチップスを買い、たまたま出たカードを1枚ずつ見本として活用したとのことなのです。この当時Jリーグチップスは売れ行き好調だったのですが、プロ野球チップスは今一つ伸び悩んでおりました。

そんな折、

「生協はいつ、紀伊國屋くらいの大きな建物になるの？」

という、いかにも当方の回答自由度が高そうなご質問が舞い込んでまいりましたので、遠慮せずにプロ野球チップスに関する思いの丈を返答に綴《つづ》りました。その効果が表れたのか、7月頃までプロ野球チップスは入荷してもすぐ売り切れるという事態にまで売れ行きが好転し、今やJリーグチップスなど遥かに凌《しの》ぐ、当店の菓子部門における最大のヒット商品となったのです。

……と話すとさながらサクセスストーリーめいていますが実情は、巨人(当時)の清原選手が出るまで買い続けるといった何名様かの固定客の方々のおかげで、私の「土橋戦略」の賜物ではないようです。モノを売るのは、本当に難しいと感じております。しかし、土橋選手が名プレイヤーであるという思いには、一片の曇りもありません。

ともあれ4月は多忙を極めました。どこの企業等でも同じだと思われますが、残業をすれども明日に仕事が残り、その明日が来るとさらに忙しく残務が累積するスパイラルに陥ることもままあります。その繁忙期のある日、いつもの投稿BOXにひとことカードが寄せられており、その質問内容は、

「豆？」

というものでした。肉体の疲れは、時に精神を尖らせてしまうようです。

「この忙しいのに、なにが『豆?』でございましょう。舐めるのは当店のチュッパチャプスだけにしてくださいよ。1本で20分ほどお楽しみいただけますよ」

このような回答イメージが頭に浮かんだように、あろうことか、憤りを感じてしまったのです。そして間もなく、

「……自分こそが『豆』か……」

と、自らの懐の浅さに気づき自省せざるを得ませんでした。若者のなにげない茶目っ気投稿に、なぜこんなにも腹を立ててしまったのか。よくよく投稿された用紙を見ると、なんで日付が03年なの? と、どうでも良いことに気づきもし、だんだんと笑う心境になることができたのです。「曇りのち晴れ」ならぬ「怒りのち癒し」の効果があった投稿で、ある意味勉強させられました。その心理状況は、回答にもしたためさせていただきました。


豆?

03年4月26日　所属 C　お名前 9625

かなり難解な問いかけですね。ところでペンネームを9623→9625と訂正されているようですが、むしろ日付の年の欄を訂正すべきでは、と考えてしまいました。こんなちっぽけな事が気になってしまう人間の心こそが、豆粒のようなものかもしれません。

故に、答えは「YES」とさせて下さい。

05年4月26日　担当　白石

③の章

ひとことカード
「○○をおいて！」、「○○はどうしてなの？」など
なんでも結構です。組合員さんの声で生協は変わります。
New
所属
お名前（ペンネームでもOK）
生協からのお答え
年 月 日 担当
ひとことカード

生協への質問・意見、要望

ねり梅じゃなくて
梅ねりです!!
甘いというか
しょっぱいです!!
始めて下さい!!

［所属］ーー ［お名前］Ｓｔ２

生協からのお答え

間違って「ねり梅」仕入れてしまいました。申し訳ございません。
「梅ねり」5／25(水)入荷予定です。
先述の「ねり梅」も、好評の場合、販売を継続しますので、宜しくお願い致します。

［担当］白石

生協への質問・意見、要望

プロ野球チップスのカードを土橋から松坂(or上原)にかえて下さい。

［所属］---［お名前］藤洋

生協からのお答え

この投稿と共に、ひとことカード回収BOXの中に上原と松坂のカードが入っていました。もはや、このリクエストにお応えしない訳にはいきません。

頂いた上記2選手のカードを、見本として活用致しました。ありがとうございます。「土橋から代えて」とありましたが、継続します。理由は好きだからです。

［担当］白石

生協への質問・意見、要望

誕生日おめでとうございます♪

[所属] ジー [お名前] てつ子

生協からのお答え

お祝いの言葉、ありがとうございます。
誰宛なのかはさっぱり判りませんが、もし該当者がいたら感激の余り、溢れる涙を拭いもせずレジ打ちしている事でしょう。
その場合、仮に涙で視界が曇ってしまったとしても、お釣りの受け渡しは間違いが無い様、一同留意致します。

[担当] 白石

生協への質問・意見、要望

お腹痛いです…

［所属］3P ［お名前］㋳

生協からのお答え

腹痛はその大半が一過性のものなので、本用紙をご覧になっている頃には、きっと晴れやかなご心境の事とお察し申し上げます。

もし慢性的なものであれば、食品の中では機能性の高いヨーグルトが効果があるようです。

1FのパンショップでLG21乳酸菌等の商品をリクエストしてみてはいかがでしょうか。

［担当］白石

生協への質問・意見、要望

しゃけとば
おいてください

［所属］ーー ［お名前］KO

生協からのお答え

「鮭とば」、ご存じではない方も多いかと思われます。

鮭とば…鮭を縦に細切りし、皮付きのまま塩や味を加え、乾燥させたもの。いわばビーフジャーキーの鮭版。酒好きな方の晩酌のお伴に最適です。

さて、そんな鮭とばですが、置けません。

［担当］白石

生協への質問・意見、要望

どうすれば、人間は空中で、ジャンプできるのですか？
白石さん。
二段ジャンプのことです。

[所属] イタリアーノ [お名前] (^-^)/

生協からのお答え

工学部の学生さんが解らない物理的な問題を、私などが解明する術など知る由もありません。
当方としてできる事があるとすれば、毎週「少年ジャンプ」を読む子が思春期を経て、「ヤングジャンプ」も読み始める一現象を、人間の成長過程になぞらえ「二段ジャンプ」であると勝手ながらに解釈し、二冊とも毎週品揃えする事のみです。組合員証提示で10％ＯＦＦです。

[担当] 白石

生協への質問・意見、要望

最近、肌のツヤが
よくなり肥えました…
夏に向けてどうすれば
よいですか?

[所属] 中島会長 [お名前] ---

生協からのお答え

その肌のツヤが、案外紫外線を
カットしてくれるかもしれませんね。
ツヤの反射のせいで他の人に当た
ってしまったら、謝ってみて下さい。
夏が楽しみですね。

[担当] 白石

生協への質問・意見、要望

15㎝定規を、取り扱って欲しいです。(18㎝は、生協で買ったふでバコに入らないので…。)

［所属］ ––– ［お名前］ G

生協からのお答え

ご要望ありがとうございます。

確かに18㎝定規、筆入れに入りにくいですね。基本的な事項に考えが及ばず失礼致しました。COOP文具のラインナップに12㎝のものがありましたので、ひとまず入荷させる旨、お伝え致します。

ご要望では15㎝とありましたが、もし12㎝のもので差し支えございましたら、再度調べますので、その旨お教え下さい。

［担当］ 白石

生協への質問・意見、要望

パチンコの本おいて下さい

［所属］ ---　［お名前］ ペン[2]

生協からのお答え

ご要望ありがとうございます。
当生協は学生の方や教職員の方々をはじめとした、組合員の勉学研究支援及び生活支援等に取り組んでおりますが、ギャンブルの分野は支援できません。あしからずご了承下さい。

［担当］ **白石**

生協への質問・意見、要望

ナブラチローワ

[所属] ––– [お名前] はい！あんた

生協からのお答え

ほぼ無敵の強さを誇り、一時代を築いた女子テニスプレイヤー、ナブラチロワ。引退後に再度ダブルスで復帰したニュースには驚かされました。

お名前欄に「はい！あんた」と書かれているのは、似ている、という意味でしょうか？ナブラチロワ選手には大変失礼な話ですが、同選手に似ていると言われて、手放しでは喜べないのが正直な所です。

[担当] 白石

生協への質問・意見、要望

無限矢が欲しい!!

［所属］ --- ［お名前］ cube39

生協からのお答え

都市と自然の融合したここ、東小金井で爽やかなキャンパスライフをお送りいただく上で、矢、それも無限のものが果たして必要でしょうか。

生協としてはお取り寄せできかねますが、ご納得頂けない場合は、ダーツバーなどでその無念をお晴らし下さい。

ゲームのやり過ぎにはくれぐれもご注意を。

［担当］ **白石**

生協への質問・意見、要望

眠気防止薬置いて下さい。
テスト前の必需品です!!

［所属］でんでん ［お名前］――

生協からのお答え

ご要望ありがとうございます。本日現在、当店舗で医薬品の取り扱いをしておらず、ご希望に添える事ができません。お力になれず申し訳ございません。

ロッテのブラックブラックシリーズのガムもしくはキャンディ、あるいはフリスク等では、やはり効果が薄いのでしょうか…？

［担当］白石

生協への質問・意見、要望

白石さんの
プロフィールを
教えて下さい。
性別、年令、身長、趣味
など

［所属］---［お名前］---

90

生協からのお答え

生協の掲示板を私一個人として使用してしまうのは気遅れしてしまうのですが、差し支えない範囲でお答え致します。
出身地：東京都昭島市
担当：旅行、教習所等プレイガイド
好きな食べ物：まぐろ
母親の名前：崎子
将来の夢：トップブリーダー
あとの項目につきましては、直接、私までお問い合わせ下さい。

［担当］**白石**

生協への質問・意見、要望

ゲーム雑誌おいてください(ファミ通、電撃PlayStationなど)

［所属］ E ［お名前］ $E=mc^2$

生協からのお答え

ご要望ありがとうございます。

そういえばゲーム雑誌置いてないようですね。上記の〝ファミ通〟、〝電撃PlayStation〟、入荷させる運びとさせて頂きます。

［担当］ 白石

生協への質問・意見、要望

白石さんへ質問です。
夏に彼女と
旅行に行くのですが、
どこへ行けば
素敵なアバンチュールが
すごせますか?

［所属］欅寮 ［お名前］G科の劣等生

生協からのお答え

ご質問ありがとうございます。

まだ行かれた事がないなら、沖縄がおススメです。おそらく近日中に、大学生協限定の沖縄ツアーが発売されます。格安プランで大変お得です。

「アバンチュール」は確かフランス語で〝冒険〟という意味の単語ですが、転じて〝恋の火遊び〟という意味で使われています。

小粋な言葉ですね。

［担当］白石

生協への質問・意見、要望

どーやったら鈴木さんと付き合えますか

［所属］ ---　［お名前］ さとちゃん

生協からのお答え

当方の職員に〝鈴木さん〟という人がいます。その鈴木さん宛という仮定でお答え致します。鈴木さんは若く見えて魅力的な人なのですが、二児の母、しかも上の子は高校生との事です。

この障壁、一朝一夕では越えられないと思われます。どうにもならない事、人生には幾つかあります。どうぞ気を落とさずに。

［担当］ 白石

生協への質問・意見、要望

誰かを好きになったとして、その人が自分にその気がなければ、思いを打ち明けた時、その人は確実に傷付きますよね。振られ続けている自分は余りに多くの人を傷付けてきました。

この先、自分は人を好きになっても良いのでしょうか？

[所属] --- [お名前] 群集の中の猫

生協からのお答え

好意を打ち明けられた人は、傷付くというよりむしろ、その度に自信がつき、それにより凛とする事で魅力も上がるのではないでしょうか。故に、どんどん人を好きになって良いと思いますよ。

傷心なのはきっとご自身ではないかと思われますが、にもかかわらず相手の事を思いやる優しさをお持ちのようなので、いつの日かきっと、想いは成就する事でしょう。

幸運をお祈り申し上げます。

[担当] 白石

生協への質問・意見、要望

レジ前の
ハバネロのぬいぐるみ
ほしいです♡
どうすればいいでしょう?
考えてると夜も
寝れません💧

［所属］ Gか ［お名前］ カツオ

生協からのお答え

ハバネロのマペットは今やすっかり皆の人気者。現在はレジ前にゆったりとくつろいでいますが、油断しているとバケツにはまったりしています。
「欲しい」というご要望が多数寄せられていますので、抽選で差しあげます。当店カウンターまで、お名前とご連絡先をご記入の為お越し下さい。抽選日時と方法は後日掲示にて。

［担当］ 白石

生協への質問・意見、要望

眠気防止薬の件ですが、
駅前の薬局にありました。
これで徹夜できます!!

［所属］でんでん［お名前］ーー

生協からのお答え

当方でお力になれなかった件にもかかわらず、ご報告まで頂き大変恐縮です。薬の取り扱いができるようになりましたら、是非とも眠気防止に効果のある薬品を取り揃えたい所存です。

でも徹夜は体に良くありませんので、くれぐれもご自愛下さい。

［担当］白石

生協への質問・意見、要望

レポート書けません。
ネタください

[所属] S科 [お名前] ---

生協からのお答え

学生の方は上記のようなお悩みで大変ですね。当店には、胸を張る程の大規模なものではないですが、数多くの理工専門書があり、レポートの材料の宝庫となり得るのでは、と考えられますが、ご要望の書物が見当たらない場合は当店カウンターまでお声をお掛け下さい。

[担当] 白石

生協への質問・意見、要望

山口くんの恋のなやみを聞いてあげてください

［所属］M ［お名前］モンキーパンチ

生協からのお答え

恋の悩みを聞くには、時には本人を奮起させる為に叱咤激励の意で、厳しく応対する事が望ましい場合もある事と思われます。

我々生協にとって組合員はお客様なので、右記の様な接し方はできかねます。故に、適任ではないと考えられるのですが、如何でしょうか。

［担当］白石

98

生協への質問・意見、要望

どうも現在就職活動をしている者です。毎日毎日がんばって就活しているのですが、なかなか仕事の方が見つかりません。ダーマ神殿のところにいけば勇者や賢者になれるらしいので白石さんルーラで連れていってくれませんか?

［所属］ーー ［お名前］リクルートマン2005

生協からのお答え

就職活動は、今頃がヤマ場なのでしょうか。心中お察し申し上げます。

勇者や賢者になる手続きの間、運命の岐路となる会社の説明会や面接を逃がしてしまったら大変なので、今回は連れていけません。ご了承下さい。

［担当］白石

生協への質問・意見、要望

自分は競艇が大好きです。
そこで、競艇を
もっと広めるためにも、
雑誌「ボートボーイ」や
「マクール」を是非置いて
下さい。
ちなみに、賭けではなく
レースシーンが
好きなだけです。

［所属］ーー［お名前］しげ

生協からのお答え

ご要望ありがとうございます。
競艇への造詣の深さ、とりわけギャンブルとしてではなく、スポーツとして愛好していらっしゃるご様子が窺えます。(同じ事は競馬等にも通ずるものがありますね)
上記に挙げて頂いた中で、「ボートボーイ」は仕入れ可能です。ただ、現時点では大学内にある販売店として陳列をするのは難しい状況です。ご注文にて承る事はできますので、当店カウンターまでお声をお掛け下さい。

［担当］白石

100

生協への質問・意見、要望

オラオラオラ
オラオラ――!!
裁くのは俺の
スタンドだー!!

［所属］ーー ［お名前］パニッシャー

生協からのお答え

勇ましい意志表明、何よりです。
このような裁判官がいたら、かのマイケル・ジャクソンもムーンウォークで逃げ出したに違いありません。
しかし、ここは生協の掲示板です。折角の志高き思い、当店でくすぶるよりも広く全世界に発信してみてはいかがでしょうか。

［担当］白石

生協への質問・意見、要望

F科指定の
レポート用紙が高くて、
実験レポが出せよう
はずもありませぬ。
なんとかして下さいな。

［所属］―― ［お名前］――

生協からのお答え

ご要望ありがとうございます。
「F科指定」の実験ノートの事ですよね？ ¥241（税込）。確かに他のレポート用紙よりはお高めかもしれませんね。料金をお求めやすいものにするには、枚数を減らす以外に手段がなさそうですが、現在はこの仕様のみのようです。新しい情報が入りましたら、またお知らせします。

［担当］白石

生協への質問・意見、要望

あんたさー
無視せんでよ!!
何考えとんがけ!

[所属] ――― [お名前] ―――

生協からのお答え

無視をされてしまうと、人は悲しい気持ちになってしまうものです。もし我々生協に対してのお言葉であれば、気配りが足らず申し訳ございませんでした。又同じような思いをされた時はどうぞお声をお掛け下さい。

我々宛ではないのであれば、直接お相手に思いの丈をぶつけて下さいませ。

[担当] 白石

生協への質問・意見、要望

学長の日程
おしえてー

［所属］ーー［お名前］▽

生協からのお答え

細かい事はわかりかねますが、
色々とお忙しい様です。

［担当］白石

104

白石さんからの言葉

「売れるモノは、売る側ではなく買う側が決めるのだ。」

このたび話題に取り上げていただいた「ひとことカード」ですが、私自身が上手に活用しているかといえば、まだまだな部分も多いようです。

当店へのひとことカードによるリクエストで多いものの一つに雑誌があります。概《おおむ》ね仕入れは可能なので実現する割合は高く、いったんは入荷します。多くの大学生協では組合員証提示による本の割引制度を設けており、農工大の生協では10％OFFです。このような他店との競合利点も背景にあるので確実に売れる、かと思うとそうでもなく、入荷した雑誌は立ち読みにて消費され、結局返本となることも多いのです。誤解を招くといけませんので追記すると、(いずれかの回答でも触れましたが)立ち読みについて農工大生協では特に禁止しておらず、むしろ「ごゆるりとどうぞ」という見解です。しかしご要望により仕入れた雑誌が「深い」分野のものの場合、やはり数ヵ月動向を見守った後、再度入荷を止める判断も下さなくてはなりません。該当のもので心当たりのある方は、お見知りおきいただければ幸いです。

ひとことカードの質問により、クレームではなくとも組合員の声に反省するケースもあります。問答により「組合員証提示でマンガも他の書籍同様10％OFFになる」ということが意外と認知されていない事実を知った時には、「まだまだ当方の情報宣伝活動が不足しているのだなあ」と思い知らされました。回答を掲示することで、他の情報を知らない人へも発信できる。このシステムは、これからも有効に活用していきたいものです。

「組合員の声」という点で学ばせていただいたことがあります。私の前任者が、ひとことカードによるご要望を実現しようと、ビニール製の「キャンパスクラッチバッグ」のデザインを学生さんから公募しました。そして数名の学生さんの協力の下、寄り集められたさまざまなデザインを投票にかけ、上位のものを商品として実現化しようという企画を行ったのです。私も投票結果集計から携わらせていただきました。結果1位は「牛模様」の柄で、他のデザインを圧倒的に引き離した得票を獲得していたのです。

確かにインパクトのあるデザインで、ことさらに目を引いたのですが、実際にこれを商品化した場合本当に売れるのか、特に女子学生は買わないのではないか、という意見が出され、「だって牛だよ」という言葉に集約されつつ懸念されていました。つまり冷やかしの投票もあるだろうから、その結果と、商品化するのとは一線を画したほうが良いという見解が多勢を占めていたのです。「結局、そうは言っても1位だから」ということで、1位なのになぜか見込み薄と思われながら商品化したところ、見事下馬評を覆す人気を博し、他の柄の10倍もの売れ行きを達成したのです。

「売れるモノは、売る側ではなく買う側が決めるのだ」という例を、実体験で垣間見させていただきました。ともあれ大学生協という職場は、学生さんが入学から卒業へと循環サイクルで入れ替わるのに対し、働く我々生協職員は年を重ねていく。常に時流をキャッチアップする感性が大切なのだと感じました。

5月頃までのひとことカードの投稿は、1日平均3〜4通。内、「非お店」は同1〜2通。無差別に回答が掲示されている環境の中で、無軌道な悪ふざけに走る学生さんたちがいてもおかしくないような状況であったにもかかわらず（そうなった場合責められるべきは、そのような雰囲気を誘発する掲示板の運営をしている私自身に他ならないのですが）、ある程度節度が守られた質疑応答に終始していたのは、農工大生の方々のモラル意識の成せるものであり、ただ感心するばかりでした。

しかし6月に入ると、少し様相が変化してきたようでした。「非お店」の投稿が、急激に増え始めたのです。

そもそも組合員の皆様のご意見やご要望を承り、支持されるお店を目指すべく設置されている掲示板ですので、「非お店」の投稿に回答を掲示するためには、時にそれなりの理由も必要になることがあります。前月までは投稿いただいたカードは全て回答を掲示していたので、それを維持するがために、顧みると半ば強引に『少年ジャンプ』や空気清浄機への宣伝に結びつける等、理由づけを施すのにやや苦しくなりはじめておりました。

それが「非お店」の投稿が6月に入り急激に増え、その後も勢いは衰えず、このままでは掲示板のスペースの大半を占拠しかねない状況でした。結局、100％回答掲示は残念ながら断念せざるを得なくなりました。分量的なバランスが保たれていた時期ならば、先述の「理由づけ」など無しでも回答を掲示していたこともあったにもかかわらず、タイミングの良し悪しだけで以前なら掲示していたであろう投稿でも掲示できないという事態を招いたのは、私の掲示板運営が不適切であったと痛感するしかなかったのです。ガイドラインというほど大げさなものは不要だと思われますが、やはりある程度留意していただく旨の喚起は必要であったかと考え、謝罪の意を込め「掲示できない回答もあります」と貼らせていただきました。

程なく沈静化したのですが、該当の投稿をされた学生さんにとっては、なにか差別を受けたような気持ちになったかもしれません。この場を借りて再度お詫び申し上げるとともに、諸事情ご理解いただければ幸いです。一方で、文具のリクエストの記入後に続けて若貴騒動についてのコメントを求めるカードも投稿されるなど、当方の苦慮する様に対応していただいているのかなとも考えさせられました。

この書籍に掲載されているひとことの多くは、「非お店」のものですが、言わずもがな、店に関するご意見・ご要望のほうが数として多いのです。このように話題にしていただいたのはありがたいことですが、その余波で他の大学生協の店舗が困惑しているのでは、と危惧《きぐ》する次第です。改めて申すまでもないですが、「ひとことカード」は生協に対する組合員からのご意見・ご要望を承るためのものであり、「なんでも相談所」の類のものではございません。健全なるご利用、お待ち申し上げます。

④の章

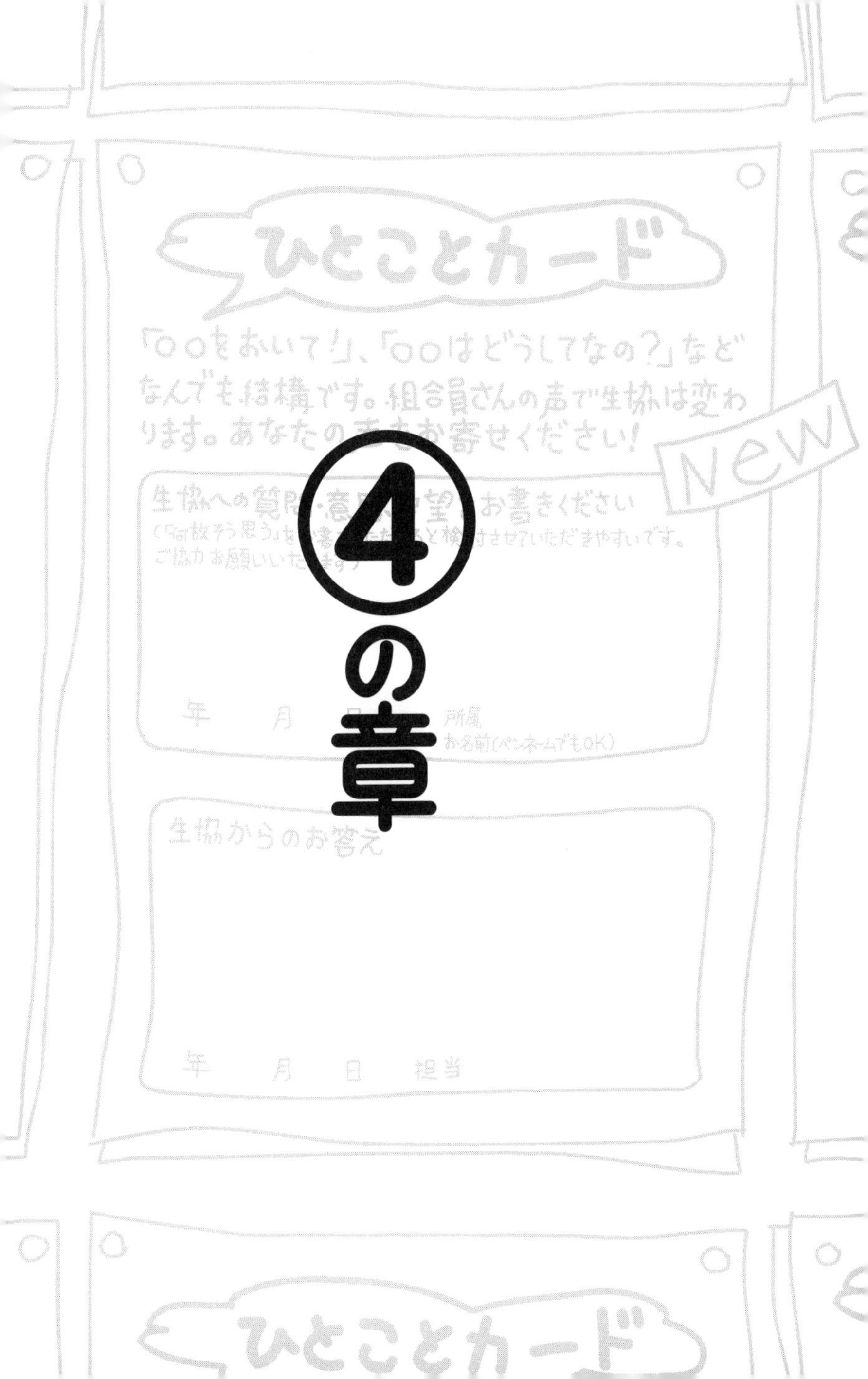
ひとことカード
「○○をおいて!」、「○○はどうしてなの?」など
なんでも結構です。組合員さんの声で生協は変わ
ります。
New
生協への質問
年　月
所属
お名前(ペンネームでもOK)
生協からのお答え
年　月　日　担当
ひとことカード

生協への質問・意見、要望

「プロ野球チップス」
品切れにして
すいません。
m(_ _)m

［所属］ M科 ［お名前］ カード

生協からのお答え

謝るのはこちらの方です。本当に申し訳ございません。

おそらく沢山買って頂いている方からの投稿かと思われますが、この場を借りてお礼申し上げます。いつもありがとうございます!!

なるべく品切れさせない様、気を付けます。又、買って下さいね。

［担当］ 白石

生協への質問・意見、要望

スポーツ実技に
メガネの人が多くて
区別できません。
白石さんなら
どうしますか?
アドバイスください。

［所属］ ― ［お名前］ **肉コップ**

生協からのお答え

アドバイスですか…。私などでよろしいのでしょうか。特に良い案が浮かんだという事もないのですが、自分自身の視力が原因かと思い悩むかもしれません。そう言えば、生協はメガネ購入の窓口にもなっています。無論、当店もです。

［担当］ **白石**

生協への質問・意見、要望

最近胸が大きく
なりました!!
ありがとう♡

[所属] ---　[お名前] ---

112

生協からのお答え

良かったですね。以前「バストアップしたい」と、当店にリクエストして頂いた方でしょうか。その時は胸囲の増加の観点から、プロテインをお奨めしたのですが、その後効果が出たのでしょうか。

しかしやっぱり、バストアップというより、ビルドアップですね。

（当店では、ご注文頂ければプロテイン取り寄せ可能です。）

[担当] 白石

生協への質問・意見、要望

以前に白衣を安く売っていた(処分品だと思います)ようですが、今後もないですかね?

［所属］L ［お名前］---

生協からのお答え

お問い合わせありがとうございます。現在の所、処分品セールの予定はないですが、当店の白衣の中から、サイズ限定でセールを行う事を検討してみようかと思います。セール実施の折には、お知らせを掲示致します。

［担当］白石

生協への質問・意見、要望

野球チップの土橋？
（真中？）選手のカード
もらえませんか？

［所属］P ［お名前］ベースボール

生協からのお答え

ご要望ありがとうございます。
当店のプロ野球チップスの見本カードとして活用している土橋選手のカードの事かと思われます。現在このカードは重要な販売促進物となっており、販売期間中に差し上げる事はできかねます。シーズンオフ頃に又お声をお掛け下さい。

［担当］白石

生協への質問・意見、要望

今日誕生日でした！
22才になりました！
白石さん、
祝ってください！

［所属］ ― ― ［お名前］ **トンガリ**

生協からのお答え

祝おうじゃないですか。おめでとうございます！

日付が本日より進んでいるのは、この日が誕生日なのでしょうか。いずれにせよ、めでたい事です。

当店にはあいにくバースデーケーキはないですが、ビスコは売る程あります。是非お買い上げを。

［担当］ **白石**

生協への質問・意見、要望

鈴木さんと
さくらんぼ狩りに行こうって
ことになっていたんですが、
二人の予定が合わず、
行けそうもありません。
切ないです白石さん

［所属］---［お名前］さとちゃん

生協からのお答え

そうですか。そこまで進展し
ていましたか。
切ない事、楽しい事、全てひ
っくるめて恋愛です。これから
も満喫して下さい。

［担当］白石

生協への質問・意見、要望

もういやだ
死にたい

［所属］ ---　［お名前］ ---

生協からのお答え

生協という字は「生きる」「協力する」という字を使います。だからといって、何がどうだという事もございません。このように、人間は他人の生死に関し、呆れる程、無力で無関心なものです。
本人にとっては深刻な問題なのに、何だか悔しいじゃないですか。生き続けて、見返しましょう！

［担当］**白石**

生協への質問・意見、要望

バレーの菅山選手(かおる姫)に恋をしてしまいました。

[所属] ーーー [お名前] 白井ヴィンセント

生協からのお答え

連日スポーツ紙面を賑わすカオル姫こと菅山選手のプレーは、はつらつとしていて、応援にも力が入ります。芸能誌面を賑わす杉田かおる姫も応援したくなる程です。

菅山選手の活躍はきっと、当店で入荷しているスポーツ雑誌「Number」や「スポルティーバ」でも取り上げられる事でしょう。今後も要注目ですね。

[担当] 白石

生協への質問・意見、要望

ビッグコミックスピリッツを
立ち読みしやすい所に
おいて下さい。
20世紀少年のつづきが
気になって
夜もねむれません。
買う金はないので
おねがいします。

［所属］ --- ［お名前］ パイの実

生協からのお答え

大胆不敵なご要望、ありがとうございます。
当店の運営の観点から申しますと、立ち読みについては特に禁止もしていなければ、助長もしておりません。その上で、現在のディスプレイが最適（週刊漫画誌に関しては）と判断しております。心中お察し申し上げますが、何卒ご理解下さいませ。1日￥40ずつ節約して、￥260のスピリッツ、買って下さい！

［担当］ 白石

生協への質問・意見、要望

中間テストがやばかったので、単位があぶないです……。生協で単位を売ってください!!

［所属］M ［お名前］うめつ

生協からのお答え

中間テスト、お疲れ様です。当店へのリクエストの多い順TOP3として何故か①文具②菓子③単位と、存外にも単位が健闘しているのですが、当生協では、というより他の生協でも、単位の販売は致しかねます。次のテストで挽回して下さい！

［担当］白石

生協への質問・意見、要望

じゃがいもは安いんですか?

[所属] ーーー [お名前] 一人暮らし

生協からのお答え

農学部で採れたじゃがいも、当店で販売をしていたのですが、完売間近となったので7/15に限り1ヶ¥10と致しました。(これは破格ですよね!)

お陰様で販売終了となりましたが、又このようなセールが企画されるかも?しれませんので、その時には是非ご利用下さい。

[担当] 白石

生協への質問・意見、要望

Jリーグチップス買いしめました!!

［所属］---［お名前］あつし

生協からのお答え

買い占められました……。ありがとうございます！
すわ完売か、と思いきや、在庫にまだ少しあったので、現在（7／21）棚に出しています。よろしければまた大人買い、企ててみて下さい。

［担当］白石

生協への質問・意見、要望

内定がもらえません。
もうすぐ
夏休みなのに……

[所属] --- [お名前] INEMURI

生協からのお答え

この時期、学生さんの頭を悩ます企業の内定、大抵はハイテイに良いツモが潜んでいるものです。自分の運命を信じましょう。

ご自身の記録をしたためる「就職活動手帳」が先週当店に入荷しました。1冊¥699です。

[担当] 白石

生協への質問・意見、要望

日本代表チップスを再び置いていただけませんか。もう田中誠はいりません。KAJI(加地)を当てたいです。お願いします白石さん。

[所属] --- [お名前] モニワ

生協からのお答え

ご要望ありがとうございます。
しかし、日本代表チップスは6月上旬でメーカー側が販売を終了としているのです。おそらくW杯予選期間までの限定商品だったのでしょう。
然るべき時期に(本戦の前etc.)又再発売される事でしょう。その時は是非加地選手、当てて下さい。私もKAZUを当てたいです。(現在は日本代表ではないですが…)

[担当] 白石

生協への質問・意見、要望

あなたを下さい。
白石さん

［所属］ ––– ［お名前］ ガリ

生協からのお答え

私の家族にもこの話をしてみたのですが、「まだ譲る事はできない」との事でした。言葉の端々に一抹の不安は感じさせるものの、まずは売られずにほっと胸をなで下ろした次第です。
という事で諸事情ご理解の上、どうぞご容赦下さい。

［担当］ 白石

生協への質問・意見、要望

透明人間になったらどうしますか?

［所属］---　［お名前］---

生協からのお答え

ひとまず服を脱ぎ、鏡に写った自分の姿が透明かを確認します。納得したら、冷えるのでまた着ます。それで外に出たら大騒ぎになると思われるので、なるべく家の中にいます。陽に当たらない日々が続くと、青白くなってしまいそうですが、透明なので安心です。

［担当］白石

生協への質問・意見、要望

自分の自転車が
パンクしたので
友達のを借りたら
友達のもパンクさせて
しまいました…。

［所属］ーー ［お名前］ーー

生協からのお答え

ご自身の不遇さを憂うご様子が伝わってきます。パンクは破れた箇所を修理すれば直ります。お友達との関係が破れていないのなら、それで良しとしましょう。

［担当］白石

生協への質問・意見、要望

絶対眠くならない
薬を置いたら
大ヒットですよ!!

［所属］工　［お名前］不眠不休

生協からのお答え

研究に携る学生さんはやはり、眠る時間も削らなければならない程、お忙しいのでしょうか。

当店は医薬品の取り扱いをしておりませんが、願わくば、健やかな睡眠時間をとれるようなライフサイクルになる事をお祈り申し上げます。

［担当］白石

生協への質問・意見、要望

蛋白レポが終わりません。
しかもまったく
わかりません。
もう疲れました。
どうにかして下さい、
白石さん!!!!

[所属] ― [お名前] ―

生協からのお答え

試験・レポートの準備、お疲れ様です。
残された時間もあとわずかと思われますので、仮に結果が思わしくなくとも、それは前日に食べたサバのせいにでもしておいて、お気持ちを切り替えましょう。
この後(期間終了後)にも学ばれる時間があるようでしたら、そこで壁を打ち破るきっかけを掴めるかもしれません。そう信じ、心の中を疲れから解放してあげて下さい。

[担当] 白石

生協への質問・意見、要望

プロ野球チップス、なかなかお目当てが出ず、しばらく購入控えてましたが、また買い始めました。
これからも、
宜しくお願いします　m(_ _)m

[所属] M [お名前] カード

生協からのお答え

プロ野球チップスは7月から〝第2弾〟となり、カードもリニューアルしたようですね。
こちらこそ宜しくお願い致します！

[担当] 白石

生協への質問・意見、要望

8月になったので、約束のプールに行きましょう♪

［所属］G ［お名前］ぱつお

生協からのお答え

涼しげなお誘い、ありがとうございます。しかし、生協一同の誰もが、上記の約束を思い出せずにいます。

このままでは待ち合わせの場所にすら行けそうにありませんが、どうぞ気にせず先に行って下さい。

［担当］白石

生協への質問・意見、要望

青春の1ページって
地球の歴史からすると
どれくらい
なんですか?

［所属］M ［お名前］石川梨華夫

生協からのお答え

皆さんは今まさに1ページずつめくっている最中なのですね。羨ましい限りです。地球の歴史というよりも、私の歴史からすると、目次でいえばかなり前の方です。いつでも呼び出せる様、しおりでも挟んでおきたいものです。

［担当］白石

生協への質問・意見、要望

大学生になっても
好きな子ができません。
どうしたら人を好きに
なれますか?
人を好きになるって
なんなんですか?

［所属］--- ［お名前］エロス

生協からのお答え

ペンネーム欄とは裏腹な、理性に溢れる疑問ですね。生協は決して、このような哲学的な悩みを解き明かせるような偉そうな組合ではありませんが、「どうしたら~」や、「人を好きになるとは?」など全く意識せずに日々を過ごすことが、はじめの一歩だと思いますよ。

［担当］白石

生協への質問・意見、要望

ヘビ嫌いを治すには
どうしたら良いですか？

［所属］---［お名前］ヘビ使い

生協からのお答え

どうでしょう、この類のご相談等は、生協よりもムツゴロウさんの方がアドバイザーとして適しているのではないかと思いますが…。ヘビ以外にも、色々な猛獣と仲良くなれそうですね。

［担当］白石

生協への質問・意見、要望

白石さん、誰似ですか。どこにいてはるんですか?のうがくぶのものなので存じておりません。

［所属］－－－［お名前］ＢＮ２年

生協からのお答え

丁度昼休憩等で不在にしていたのかもしれませんね。お会いできず、残念です。通常は生協２Ｆにて勤務しております。誰似かにつきましては、どちらかといえば母似です。

［担当］白石

生協への質問・意見、要望

白石さん好きっす。

［所属］---［お名前］---

生協からのお答え

光栄っす。

［担当］白石

白石さんからの言葉

「これからも各大学生協をご利用のほど、どうぞよろしくお願い申し上げます。」

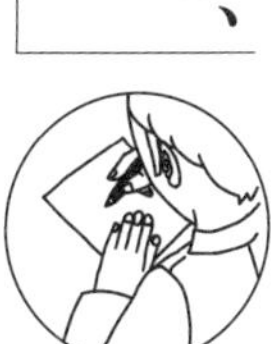

インターネットで回答画像が取り上げられている様《さま》は、３月に自分で検索したものだけでなく、周囲の人たちからの情報で色々知ることができました。当初から回答の画像が独り歩きをしている状況で、それ故に自分の人物像がぼやけており、と言うよりも殆《ほとん》ど謎に包まれているらしく、さまざまな憶測がネット上で飛び交っている様子もうかがい知りました。中には「おばちゃんナイス」という文字をクリックすると、例の回答画像が現れてくるサイトも教えてもらい、「そうかあ、おばちゃんかあ」と、自分も第三者的な立場で楽しませていただきました。

そんな状況にもすっかり慣れてしまったある日、目を疑うような投稿がありました。

「実はこの生協のひとことカードを題材にしたブログを運営しており、つきましては認可をいただきたい」

このような内容のものでした。記載されているアドレスにアクセスすると、確かにありました。３月にネット流出を初めて知った時以来の衝撃でした。

このＢＯＸに投稿してくるということは農工大生に違いないだろうと思い、是非《ぜひ》直接会って色々お話をおうかがいしたかったのですが、投稿されたものにその旨記入し掲示するのは、なにか自分のことを取り上げているブログを自ら宣伝するようで、恥ずかしいのと掲示板の公私分別との意味でできず、結局「ブログについてお問い合わせの方は直接私まで」という旨の掲示で呼びかけました。しかしお会いすることができないまま、妻との四国旅行の時期が近づいてきました。しばらく店を空けてしまうこととなり、その間当方が無回答というのもいかがなものか。

本来このような人間ウォッチング的なブログは、本人の知らざるところで執り行われていることが醍醐味なのでは、と率直に感じました。それを顧《かえり》みず、このようにカミングアウトし認可を求めるにはある種の決意があったのでは、ともお見受けしました。その「認可」についていえば、これに限らずどのブログでも各人の感性に触れたものを取り上げており、それこそがブログのブログたるが所以《ゆえん》のようなものであり、それにつき自分や生協がやれ承認するしないというような大それたものではないだろうという考えでした。ということで「お好きにどうぞ」という意思表明をどうにかして管理人に伝えたかったのですが、ままならず思案していたところ、ブログにメール欄があるのを発見、送信を終え心おきなく旅行に出かけたのでした。お陰様で、四国は満喫しました。しかしながら私の送信したメールが掲載されたことにより「公認」扱いとなったのは、想像の域を超えていました。

約1ヵ月後、管理人の上條君とも会うことができました。感じの良い学生さんでほっとしました。それにしてもブログに掲載されている問答は、私自身すっかり忘れているものが多く、「そういや、こんなこと書いたっけかなあ」と思うこともしばしばです。いかんですね。

それにしてもこのたびスポットを当てていただいたのはありがたいのですが、ひとことカードそれ自体、どこの大学生協でも取り組まれている日常的なものなので、本当に不思議な感じがします。特に私が以前在籍していた早稲田大学の生協は、ひとことカードのやり取りが実に盛んです。私は、返答を担当した初めの頃、早稲田の生協のホームページに掲載されている問答を参考にしたことがあります。返答文も、現在の農工大のものより遥かに長いものが多く、またお店に無関係な投稿でも、受けて立っているような回答が施されています。やはり、たまたまインターネット上話題になっただけに過ぎないという思いです。そして、インターネットという文化がなければ広まらなかった事象でもあり、私という人物像に対する曲解も含め、改めてその流布の力を感じます。

ところで私が大学生協で働くことを志望したのはあくまでも就職活動での一環に過ぎず、当時勉強不足のために失敗したことがあります。

生協がある各大学には、その多くで学生委員会（または組織部）と呼ばれる機関が存在します。生協の活動と学生の生活とを橋渡しする役割があり、たとえば新入生のオリエンテーションの時に、在学生の立場で生協に加入すると便利だということを示してくれたり、またある時は生協主催のエコツアーなどにモニター参加し、レポートすることで意義を伝え販売促進に励んでくれたりと、その役割は大変重要なものです。

私が学生として在籍していた信州大学にも学生委員会はあったらしいのですが、恥ずかしながら認知しておらず、そのような不勉強な状態で就職の面接に臨んでしまったのです。

面接官に尋ねられました。

「白石君は、学生委員とかやっていたの？」

私は疑いの余地もなく、「面接の場」での自己アピールのチャンスだと考え、

「はい。小学生の時に1度あります」

と、高らかに答えてしまったのです。惜しい哉《かな》、それは学級委員です。今思えば、よくぞ採用していただいたものです。大学生協の懐、深し。


そんな経緯のせいか大学生協に勤務されている職員の方々は、私よりも遥かに志の高い方が多いと感じられ、見習わなければといつも考えさせられます。ネットでは私に対し誠実で真面目な、との評をしていただき大変ありがたいのですが、それはおそらく、志高き大学生協職員の一般的なイメージによるお陰だと思います。私自身を知っている人の中には、あいつはそんな奴じゃないよ、遊んでばかりで全く気合入っていないよ、と思われる方も多くいらっしゃるとは思いますが、良い機会なのでその評に少しでも近づけるべく、日々精進したい所存《しょぞん》です。

これからも各大学生協をご利用のほど、どうぞよろしくお願い申し上げます。ひとことカードでは「お店に関する」ご意見・ご要望を承ります。何卒《なにとぞ》、くれぐれも、重ね重ね、よしなに。

ひとことカードBOXと掲示板は、生協工学部店の入り口の前に設置されている

返事を書き込まれたひとことカードは
このように掲示される

これが投稿を受け付ける
ひとことカードBOX

東京農工大学と白石さん

ブログ「がんばれ、生協の白石さん！」管理人　上條景介

新都心と呼ばれ、東京都庁や歌舞伎町のある新宿からJR中央線で20分ほど下ったところに生協の白石さんの働く東京農工大学工学部があります。最寄り駅である東小金井駅を降り立ったときの第一印象はまさに「閑静な住宅街」そのもの。田舎からはるばる出てきた受験生の中には、初めてこの地に降り立ち、自分の思い描いていた「東京」のイメージとのギャップに愕然《がくぜん》とする人も少なくありません。

工学部と農学部という世にも稀《まれ》な組み合わせで編成される農工大学は学生数6200人の小さな大学です。受験偏差値のイメージ的には中の上といったところ。ただし、国立大学法人でありセンター試験で5教科7科目を勉強してきていることや、学科による偏差値の差を考えると一概には言えないのが実情です。しかしいずれにせよ、東京大学などの超高偏差値大学が揃うここ東京では、農工大学は数ある大学のひとつでしかなく、自己紹介のときには「東京農工大学？もちろん知っていますよ。あの大根おどりで有名な大学ですよね？」という反応が返ってくることが常となっています（大根おどりは箱根駅伝にもたびたび出場する私立の東京農業大学の名物）。

しかし、農工大学は世間的には無名の大学ではありますが、まったくなにもない大学というわけではありません。たとえば、農工大学には「農工大アイス」という名物アイスが存在します(一番初めに挙がる特徴がアイスというのもおかしな話ですが)。これは農工大学の生協限定で販売している商品であり、農学部の牛から採れたミルクを使ってつくられているアイスです。農工大アイスは、その味のおいしさからか、もしくは実習のときにしか生産しないが故の希少性からか、店頭に並ぶと瞬く間にその噂は学内を駆け巡り、ものの半日で売り切れてしまうなんてこともあるほどの人気商品なのです。また他にも、農工大米や農工大味噌、農工大うどんといったさまざまな商品が農工大生協では販売されており、どれも農工大生の間では話題の品々となっています。

このように「生協の白石さん」がやってくる前から、生協は農工大の中でも目立った存在であったわけですが、実は「ひとことカード」というものを知っていた学生はほとんどいませんでした。ですから、生協の白石さんのひとことカードが注目され始めたときも一部の農工大生が密かに楽しんでいるものでしかありませんでした。

農工大学の工学部(白石さんは、農工大生協工学部店にいらっしゃいます)は、生命工学科(L)・応用分子化学科(F)・有機材料化学科(G)・化学システム工学科(K)・機械システム工学科(M)・物理システム工学科(P)・電気電子工学科(E)・情報コミュニケーション工学科(S)の8学科から構成されており、それぞれ学生の間では生命工・応分・有材・化シス・機シス・物シス・電電・

情コミと呼ばれています。よく巷では「大学生は遊んで暮らしている」と言われますが、そんな生活を送った記憶はあまりありません。農工大学はその受験偏差値以上に研究室の研究レベルが高いことで専門家の間では有名です。研究力ランキングなどでも旧帝大や早慶以上の評価を受けることもよくあります。そんなことも少しは影響しているのでしょうか？　農工大学はどの学科も勉強に対しては厳しく、課題もそこそこの量が課されます。「図書館通いが毎日続く」なんていう事態もしばしばです。勉強の忙しさからサークルの加入率も40パーセント程度と全国の大学平均よりも10ポイント近くも低く、起きたら大学に行って授業や研究をして、家に帰って寝る。結構多くの学生がそんな毎日を過ごしているように思います。

しかし、そんな生活に少しばかりの刺激を与えてくれたのが、生協の白石さんのひとことカードだったのです。初めはあまり知られていなかったひとことカードの存在も、時が経つに連れ徐々に話題が広がり、今では農工大生の大きな楽しみとなっています。爆笑ではないけれども、どこか心温まる笑い。そんな笑いを求めて、ひとことカードの掲示板の前には人が集まってきます。

さて、ひとことカードのコメントには、プロ野球チップスの話題の次くらいに恋愛に関する悩み相談が多く見られます。農工大学は、理系の中では全国的にも非常に女性の割合が多い大学ですが、学科によるバラつきがひどく、物理系の学科ではその人数が片手で足りるなんてクラスも珍しくはありません。女性にとっては逆ハーレムな大学ですが、男性にとっては生き地獄。いえ、勉学に勤しむのに最適な環境だと言えます。しかも、先ほども書きましたとおり、絶好の出会いの場であるサークルの加入率も低く、サークルがあったとしても、他大学と合同で活動をするようなインカレサークルは数えるほどしかありません。また、合コンをセッティングするにしても農工大ブランドはほとんど通用しない、と言いますか、そもそも名前を知られてもいないのが実情です。まさに自給自足も不可、外部調達も不可能な絶海の孤島に立たされているわけです。だからこそ、生協の白石さんにこの積もり積もった悩みを相談したいのです。なにせ、「今一番の不安は?」と聞かれて、「自分が将来結婚できるかどうか」と答えるような学生たちですから。

と、ここまでの文章を読み返してみますと、まるで農工大学が楽しいキャンパスライフを送るためには〝入ってはいけない大学〟のような印象を与えてしまっているかもしれません。が、決してそんなことはありません。農工大学は学生たちの雰囲気も良く、とても居心地の良い大学です。そして、そんな大学であったからこそ、生協の白石さんがある意味で秘密の存在でいることが可能であったし、ここまでの人気を博したのでしょう。

生協の白石さんの人気は、とあるサークルのホームページから農工大の外に飛び出しました。そして、私のブログを通して一般のネットユーザーの方々に広がっていきました。次はこの本の番です。この本を読んでくださった方々が、今よりほんの少しでも幸せになってくださったら、農工大生としては大変嬉しく思います。そして、いつの日か「東京農工大学? もちろん知っていますよ。あの生協の白石さんで有名な大学ですよね? 私、生協の白石さんの大ファンなんです」という反応が返ってきてくれたらな、とも思います。

「生協の白石さん」発刊に寄せて

東京農工大学消費生活協同組合
専務理事　小林　亘

多くの大学生協では、出資者である組合員からお店への意見や要望を聞くツールとして「ひとことカード」に取り組んでいる。現在、白石さんの回答のおかげで農工大生協の「ひとことカード」が注目されているが、特に農工大生協が他の生協と比べて「ひとことカード」に対して力を入れて取り組んでいるというわけでもなく、むしろ取り組み自体を見れば後発と言ってもいい。

他の生協でも取り組まれているひとことカードの中で、なぜ白石さんの回答が学生たちの間で話題となり、支持を受けているのかについて、私なりに考えてみた。理由はいくつかあると思われるが、ひとつは、白石さんの意見や要望に対する姿勢にあると感じている。白石さんは、出された意見や要望に対して「どんなものでも、これは無理だとあきらめず、なんとか実現させようという立場」で回答をしていること。そしてもうひとつは、他の職員ではあまり回答してこなかった意見や要望に対して、ユーモアと絶妙の変化球を織り交ぜながら回答する誠実な人柄を感じられることである。

今、生協だけでなく多くの小売業、メーカーが、顧客のニーズをつかむためにさまざまな取り組みを行っている。顧客から寄せられる声や意見には、多種多様なものがあると思われるが、そうした取り組みでは、白石さんのように顧客から寄せられるどのような声に対しても実現しようとする立場で誠実に答える姿勢と、そしてまた少し変わった意見や要望に対して、決して相手を失望させることなく、むしろ自分のファンにしてしまうような回答こそが求められているのではないだろうか？　そういう点で、この本をちょっと変わったビジネス書として読んでみてもおもしろいのではないかと思っている。

生協では月１回各店舗の責任者が集り会議を行っている。その際必ずひとことカードについても論議をしているが、私は、通り一遍の回答や、あまり誠意を感じることができない回答に対して「白石さんはこのように回答していますよ。参考にしてみてください」と話している。

私一人の勝手な思いこみかもしれないが、白石さんに寄せられるちょっと風変わりな意見や要望を見ると、「これはひょっとすると〝私のことに注目してほしい（私の存在を認めてほしい）〟というメッセージではないだろうか」と感じる。そして、私も含めて多くの〝大人〟は、そうしたメッセージが送られてきたとき、日常の忙しさの中で見過ごしたり、現状にある彼・彼女を見て、ある先入観で接してきているのではないだろうかという反省の思いを抱くのである。

家庭においては子と親、学校においては生徒と先生、職場においては部下と上司の関係でも同じことがいえるのではないだろうか。家庭では、子供が学校での出来事を聞いてもらおうと話しているのに、親はついつい日頃気になっている「忘れ物していない？」「宿題はしたの？」などとばかり答えたり、学校では、勉強やスポーツができる子以外なかなかスポットライトが当たらず

その他大勢の一人になっていたり、会社では、過去の失敗や成績からのみ評価されて、いろいろな提案をしても取り上げてもらえなかったり……。だからこそ、どのような質問や意見に対しても率直に受け入れて、きちんと答えてくれる白石さんの回答に接して感じた、〝こんなことにもまじめに答えてくれた〟という驚き、〝しっかり受け止めてくれた〟ことに対する喜びが、支持や共鳴を生んでいるのではないかと思っている。

この本は、生協に寄せられた意見や要望について生協の職員である白石さんが回答を書いた内容を掲載しているだけのものである。そこにはストーリーもなければ、特に感動を与えるような言葉もない。けれど、白石さんの回答に対し多くの学生が支持を寄せ、時には癒しを感じ、「私の近くにも白石さんのような人がいないかな」というメッセージを放つのを見るとき、私は次のことを思うのである。白石さんのようにセンスある言い回しや変化球を使って回答することは難しいけれども、メッセージが送られてきたときには、先入観や現実を抜きにして、一言であっても〝君のメッセージは受け止めたよ〟と返してあげることは誰にでもできるのではないだろうかと。また同時になにかで困っていたり、悩んだりしたとき、必ずあなたの周りにもあなたのことを誰よりも思っている白石さんがいることを信じて一歩踏み出して相談してほしいと。

大変欲張りな思いかもしれないが、本を読んでいただいてその思いが少しでも伝わっていただければ幸いである。

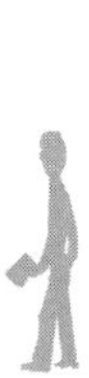

最後に

この度はこのような事態となり、改めて驚いております。私を取り巻くさまざまな環境、そのどれ一つでも欠けていたら、起こりえなかったことだと思っております。


まずは東京農工大学の校風。そして、学生さんの気質。素晴らしい大学です。重ねて申し上げますが、これからもお店に関する投稿をお待ちしております。

農工大生協の小林専務をはじめ上司、同僚、パートさん。いつもお世話になりっぱなしですみません。今後も精進します。

ネットで面白可笑しく取り上げていただいた各サイトやブログを運営している方々。とりわけ「pya!」というサイトの住人(?)の方々からは、当初からメールや手紙をいただいていたのに、返信できずに申し訳なく思っていました。たびたび励まされました。

ブログ運営者の上條君。肝が据わっていて、若いのに大したもんだと感心しています。出世したらなにかおごってください。

地元の友人たち。話題になり始めの頃の不安を解消してくれたのは、他ならぬおまえらです。これからも仲良くしてください。

大学時代、共に寮生活を過ごした仲間たち。さまざまな人と共に暮らした信州大学思誠寮では、真の意味でのコミュニケーションを学ばせていただきました。また、思いついたことを発表するという場も与えてもらっていました。寮生活なくして、この渦中にはおらずと断言できます。

母、崎子。ほぼ女手一つで育て上げていただきました。実名が出てしまいすみません。

妻。その生き様が、エンターテインメント。生きた教材です。貴方が妻で幸せです。


皆様にこの場をお借りし感謝申し上げます。ありがとうございました。

講談社「MouRa」の堀田純司様ならびにスタッフの方々。当初から暖かくお気遣いいただきました。重ねてありがとうございます。


この期に及んでも尚、この騒動は一人の人間を陥れる壮大な“どっきり”なのでは、という不安に駆られます。その際、草葉の陰から現れる夏木ゆたかのブレザーの色は、せめて鮮やかな赤であってほしいと願うばかりです。

白石昌則

この本についてのご意見・ご感想を
http://moura.jp/clickjapan/shiraishi/
にてお待ちしております。ぜひお越しください。

生協《せいきょう》の白石《しらいし》さん

2005年11月 2 日 第 1 刷発行
2006年 3 月23日 第15刷発行

著　　者　白石昌則《しらいしまさのり》
　　　　　東京農工大学《とうきょうのうこうだいがく》の学生《がくせい》の皆《みな》さん
発 行 者　野間佐和子
発 行 所　株式会社 講談社
　　　　　〒112-8001 東京都文京区音羽2-12-21
編　　集　講談社デジタルコンテンツ出版部「MouRa」 http://moura.jp/

装幀・イラスト　井上則人
本 文 割 付　土屋亜由子（井上則人デザイン事務所）
撮　　影　金澤智康

責 任 編 集　服部 徹
編　　集　寺内元朗（株式会社デジカル）
編 集 協 力　上條景介
企画・編集　堀田純司

協　　力　東京農工大学　東京農工大学消費生活協同組合
印 刷 所　凸版印刷 株式会社
製 本 所　株式会社 国宝社

【この本についてのお問い合わせ先】
編集部　03-5395-3551
販売部　03-5395-3622
業務部　03-5395-3615（落丁本・乱丁本はこちらへ）

落丁本・乱丁本は購入書店名を明記の上、小社業務部宛にお送りください。
送料小社負担にてお取り替えいたします。なお、この本の内容についての
お問い合わせはデジタルコンテンツ出版部あてにお願いいたします。

定価はカバーに表示してあります。

N.D.C.384 152p 19cm　ISBN4-06-213167-6